JN057324

ゆらら

装丁・文　藤村拓也

私たちは見えているものの奥に
「ゆらら」と柔らかく
過去と現在が心の内で行き交って
自分と向き合う束の間の時がある

大切なものは、みんな自分で見つけることなのだ。

目次

遠まわり

今日と明日がひたすら繰り返される日々の中で、トントンと小刻みな足音を廊下に響かせ、ネコのモモが駆け足でやってきて、覗き見るようにこちらに目を向ける。動物と言うのは目を向けると襲ってくると思い、目を合わせないのが常であるが、昨今のネコは愛嬌がいい。思わずこちらも負けずに目を向けると
「ニャン」
と一言挨拶し、玄関までまたトントンと付いてきてモモは玄関の手前で立ち止まる。

俺は玄関脇の部屋に顔を出し家を出て商店街に足を向けた。モモは東京生まれで東京育ち、最近この地に来ても飼いなされた環境に依存して、我が家を一歩も出ない。俺はいつもそっと玄関脇の通路を開けてやる。人間というのは外に向かっていこうとするのに、冒険をしないモモは賢明なのだろうか？今日も俺は玄関で

「素敵な町に」

「ようこそ」

と手招きしたが

「ニャン」

と後ずさりした。人間と違ってネコの平均寿命はわずか十五年位らしいが、短いとも思わず飄々と一日を過ごし町の変化にも気づかずに一生を終える。ネコは一歳半で人間の二十歳に相当し、一歳年を取るごとに「四歳」プラスするらしいから、十歳で人間の定年とほぼ同じ年齢になるのだ。モモはまだ四歳だが一年半で二十歳ということは、子ども時代が無く一人で十分生きていく術を身に付けていることになる。かたや人間は長い

子供時代を過ごして楽しい思い出を持つ事ができる。人生百年時代と言っても楽しかった思い出が増えたとは思えないが。あの十四歳頃から大人になる数年が人間にとっては、どんなに楽しいか。モモたちにはわかるまい。世の中のことは外に置き、幸せだった中学や高校の頃。俺はプラターズやビートルズの歌声が響くこの町で、明日に向かって夢中だった。それは今もきっと変わらず、あの年頃は大人との境目で、様々なことを初めて体験し、アイデンティティーが形づくられる。振り返れば宝石のような時代だったと今になって思える。それに比べモモたちは、急いで大人にならないと獲物を狙う者たちの餌になってしまうのだ。

「俊彦」

呼ばれて振り向くと忠雄が校門の坂道を走りながら下ってきて

「受験どうだった」

息を切らして聞いてきた。俺は

「ダメだった」

と答えると
「じゃー、俺と一緒にN高に行こうよ」

「一緒にラグビーやろうよ」

俺の肩をたたいて喜んでいる。

小学校から仲の良い忠雄は、ラグビー部からの推薦で男子校のN高に決まっていた。

「俺は共学に行きたいなー」

未練がましく俺が答えると、すかさず忠雄が
「俺は女子校の彼女をつくるんだ」

と言って二人で駆け出した。十一月の空は高く俺たちを見下ろして、商店街まで追ってきた。月が明ければクリスマスシーズンに入る商店街はジングルベルの曲を流し、大人たちが忙しく行きかう騒音の中で、忠雄が突然
「ウエストサイド物語知ってる?」

と俺に聞いてきた。もちろん俺は知っていたが曖昧に

「まーね」

俺は指をフィンガースナップして、わざとステップを踏んで見せた。忠雄は驚いたように俺を見て

「ジョージ・チャキリスかっこいいよなー」

と言って、同じように指をフィンガースナップしてステップをきった。兄貴や姉貴がいる忠雄は物知りで踊りも決まっている。

「姉貴がさー、映画のチケット友達に頼むって言うんだ」

「ウエストサイド物語のだぜ！」

と言って俺の肩に腕を回し

「俺たちもチケット買わない？」

「それでさ」

「俊彦、四人で行かない？」

頼むように忠雄が顔を向けた。俺は

「四人って誰と?」

不思議がっている俺に、

「三組の鈴木さんと滝見さんだよ」

忠雄は俺の肩から腕を外し、正面に向き直り

「三組の鈴木さんはテニス部でさ」

「俺ラグビーの練習中に隣のテニスコート見ちゃうんだよ」

「えー、嫌なヤツ」

「お前、鈴木さん好きなの」

俺が忠雄に言うと

「て言うか、まーそんな感じ」

忠雄は煮え切らない態度で今度は手を合わせ

「だからさー頼みたいんだ」

「何を!」

「チケット二枚渡して欲しいんだ」

「誰に？」

「二枚って俺の分？」

俺が答えると忠雄が今度は手を横に振り
「鈴木さんと滝見さんに」

と言って、俺が
「何で二人なんだよ」

「俺二人とも知らないぜ」

「どうやって渡すのさー」

「お前が鈴木さんに渡せよ」

俺は怒ったようにわざと強く言った。すると
「親友の俺が頼んでいるんだぜ」

「俊彦さん考えてくれよ」

急に忠雄が「さん」付けし俺に頭を下げたので、俺はわざと忠雄の頭を強く「なでなで」して大げさに笑いながら

「渡せない人なんだ」

「忠雄さん」

とからかったが結局俺は

「わかった」

と言ってしまって頭の中で思いを巡らした。学校の昼休みにいつも鈴木さんと滝見さんが、校庭を横切って職員室のある校舎に行くのを、俺たち二人はいつもぼんやりと屋上から眺めていた。校庭を横切る二人は可愛くて男子生徒の憧れだったが、そんなマドンナの彼女たちに俺が映画のチケットを渡すなんて、我に返って死んでもできないと思い。

「やっぱり俺できないよ」

「忠雄が自分で渡せよ」

と言うと忠雄が

「冷たいなー、俊彦」
「じゃー、チケット代出すからさ」
「考えてよ」
「えー、チケット代取るつもり」
「俺に渡すのを頼んで」
俺が呆れて言うと
「だって彼女たちの分は俺が出すんだぜ」
「知らないよ」
「鈴木さんの分だけでいいじゃない」
「俊彦ー、考えてみてよ」
「鈴木さんと二人じゃまずいだろ」
「じゃー、俺と滝見さんはダミーかよ」
「違うよ」

「鈴木さんと滝見さんいつも一緒だろ」

「だから状況考えてみてよ」

「俺のこと考えてさー」

「俊彦が滝見さんの相手をしてよ」

「グループの方が自然だろ」

「だからさー」

俺は忠雄を無視して下を向き、足でグループとなぞりながら
「グループって」

「グループ交際のこと」

俺は怒ったように言ってみたが、滝見さんの事を秘かにいいなーと思っていたので
「四人で行くだけだよ」

の忠雄の言葉がとどめを刺した。俺はわざとぶっきらぼうに
「取りあえずチケット持ってきて」

と忠雄に返事をした翌週。忠雄が朝礼前に
「一週間で冬休みになっちゃうからな」

とチケットを四枚持ってきて、俺の学生服のポケットに三枚押し込んだ。

「俊彦のチケット代は正月明けでいいから」

「頼むよ」

珍しく神妙に言って忠雄が最敬礼した。俺は滝見さんの事を見透かされないように
「チケット代は来年」

と答えた後、どうしようかとポケットからチケットを取り出して考えた。まず俺のクラスの中で小学校が鈴木さんと滝見さんと一緒だった、岡さんに頼んでみようと思い立ち、昼休みに忠雄のクラスに行き忠雄に話すと
「ダメダメ」

「学校中にばれちゃうだろ」

「直接、鈴木さんに渡してよ」

「だったら自分で渡せよ」

「俺ドキドキして渡せないから」

「だから頼んでるんだろ」

「俊彦だったらドキドキしないだろ」

「もちろん」

「俺関係ないからね」

と言ったが、滝見さんにはドキドキ絶対するなと思った。俺が
「断られたらどうするの」

と言うと忠雄は怒ったような顔をして
「そんなこと考えるより」

「今週中に頼む」

と両手を合わせ忠雄は昼休みの校庭に向かって駆けて行った。翌日の放課後テニスコートの脇から俺はラグビー部の練習を見るふりをして、鈴木さんが通るのを待ったが現れ

ない。夕陽が傾きグランドのラグビー練習を照らし、楽しそうに思えてバックスの忠雄は輝いていた。結局その日は空振りに終わり次の日は雨、しかたなく学校帰りに商店街の本屋で「子供の科学」を立ち読みしていると、商店街の通りを脇道から渡って目の前に滝見さんが歩いてきた。俺はとっさに店内に隠れようとしたが立ちすくみ動けない。同じ学校とわかったのか滝見さんが
「あっ」
と言って本屋に入ってきた。そしてこちらに顔を向けた時、俺はポケットからとっさに映画のチケットを出して
「お願いします」
と言って頭を下げていた。滝見さんはビックリしたように三つ編みの髪に手をやり困った表情になったが、俺は必死で
「四組の片桐忠雄が」
「鈴木さんとウエストサイド物語を見に行きたいので」

「宜しくお願い致します」
「渡して下さい」
一気に滝見さんの顔を見て言った。滝見さんの輝くような瞳が俺を見て
「いいけど三枚も?」
と驚くように言った。俺は
「いやー、鈴木さんと・・・」
声につまり
「二枚は滝見さんと俺のだけど・・・」
と小さく言った。すると滝見さんが
「九組の太田君でしょ」
「九組の岡さんとは私友達だから知っていたわ」
「太田君とすぐわかった」
と微笑んで、俺は少し「ホッ」とし滝見さんの顔を見て、再び頭を下げた。滝見さんが

「恵子、じゃない鈴木さんに話してみる」

と言い直し。雨は上がっていた。

「返事は九組の岡さんにしておくから」

俺はあわてて
「岡さんにバレたらこまるなー」

と言うと、

「どうして、おかしなの」

「じゃー住所教えて明日返事するから」

とメモ紙を渡された。携帯電話など無い時代、それはほんの一瞬だったが神様が囁いたと思えた。そして冬休みに入ったクリスマスイブの朝に、母親がいぶかしげに差出人を見ながら二階に上がってきて
「お手紙だよ」

珍しく敬語を使って手紙を渡された。それは滝見さんからのクリスマスカードと鈴木恵

子さんのＯＫの返事が入った手紙だった。午後一番に忠雄の家に行き商店街の電話ボックスから俺たちは鈴木さんの家に待ち合わせの電話をした。忠雄が突然「僕」などと言うので、俺は後ろから頭をひっぱたいてやったが、忠雄は顔を真っ赤にして無視している。電話ボックスから出ると忠雄は
「明後日、二十七日決定」

と叫び走り出した。俺は忠雄を追いかけながら不安だった。滝見さんの返事を忠雄から聞いていないのだ。

「待てよー」

俺は叫びながら商店街を飛び跳ねるように走っていく忠雄を追って本屋まで来た時、滝見さんに出くわした。驚いたように滝見さんが
「太田君どこいくの」

「片桐を・・」

と俺はあわてて

「返事ありがとう」

「クリスマスカード嬉しかったです」

と言ってしまった。滝見さんは少し照れるように微笑んで本で顔を覆った。俺にはひまわりのように輝いて映り、滝見さんに
「俺、参考書を探しにきたけど」

「滝見さんは」

と忠雄のことは忘れて、俺はすらりと言えた。すると
「私も頼んでおいた本を取りにきたの」

滝見さんがまた微笑みながら瞳を返してくる。まさに天使の囁き、電信柱の後ろでこちらを覗いている忠雄を無視して、本を受け取った滝見さんと一緒に歩こうとすると
「太田君」

「参考書いいの」

と滝見さんが言った。俺は慌てて

「国語の参考書は明日にする」

と答えると滝見さんが
「国語だったら、私の貸してあげる」

「推薦で高校決まったから」

「本当、国語苦手でー助かる」

予期もしないセリフが出てきて。二人で歩き始めた後を、口笛の音が追ってきてクリスマスソングに打ち消され、電信柱の立看板が揺れていた。俺は忠雄を無視して
「高校どこに決めたの」

「かるた部があるK女子高にしたの」

「かるたって百人一首の?」

「ちはらぶる、何とか、かんとかって奴」

「ちはやぶる　神代もきかず　竜田川」

「これは上の句で」

「下の句は、からくれないに　水くくるとは　で」

「在原業平の読んだ句よ」

「凄いなー」

俺は国語の時間はお眠りタイムと決めていたので、次の言葉が出てこない。それでも無言で一緒に歩く事がこんなにも楽しい時間だと知った。俺は商店街が急に輝いて見えて八百屋のおばさんも楽しげに俺に顔を向けているように思えた。そして商店街のアーケードが終わりに近づいた時
「じゃー明後日」

「国語の参考書は映画の時」

「持って行くわ」

天使は頭を少し下げて、小走りにアーケード脇の道を交差点の方に渡って行った。俺が小さな短いアーケード街の表通りに出ると、滝見さんが振り返りこちらに手を振っている。俺は顔が赤くなり下を向いてしまった。その日の夕飯時、茶ぶ台に箸を並べながら

母親が俺に
「早いねー来年は高校生だね」

「もう子供は卒業だねー」

と誰に言うでもなく呟いて台所に戻り、ビールを持ってきて父親が黙って出すコップにビールを注ぎながら、また母親が
「どの高校に決めたんだい」

「推薦校がダメだったんだから早く決めないと」

「先生がちっとも勉強に身が入ってないって言ってたよ」

「もう子供じゃないんだから」

「お父さんにもきちんと志望校言って」

と俺の顔を覗き込む
「俺、忠雄と一緒にN高受ける」

その場しのぎで考えもなく言ってしまった。

「忠雄君はスポーツ推薦だけど」

「お前は違うんだよ」

母親が少しキツイ口調で返してきた。

「だから勉強するから」

と言うと無口な父親が新聞から目を離し
「勉強は高校に入る為のものじゃないぞ」

「生きていく為には無知ではダメだから」

「一生懸命勉強しろ」

幼い頃から苦労した父親はビールをあおり、また新聞に目を落とした。翌日、忠雄と商店街で待ち合わせをし
「明日、学ランじゃまずいよなー」

と忠雄に話すと
「当たり前だろ」

「俺、姉貴に頼んでジーンズ買っちゃったんだ」

と忠雄が少しすまなそうな顔を向けた。

「だって、学ランじゃな」

「黙っていてゴメン・・」

「俺は学生ズボンかー」

ちょっとジーンズをはいた忠雄の姿が俺の頭によぎり
「付き添い役だからしょうがないな」

「俺、黒子に徹する」

「学ランで」

とふざけながら忠雄に笑って返し。滝見さんにどう見られるかと思い、持っているセーターをフルに頭に並べ頭が混乱した。忠雄はぶつぶつと映画の後のプランを話し続けている。俺は父親が言った無知と言う言葉が思い出されデートに学ランはやめ、姉貴のいる忠雄が羨ましかった。そして商店街のレコード店に入ると忠雄がウエストサイド物語のサウンドトラック盤を買うと言い出して。俺も欲しいが、小遣いとジーンズがさっきから頭の中を巡っていて結局衣装合わせの結論は、ポロシャツを買う事に決めレコードもジーンズも諦めた。そして早く大人になりたいと思った。当日、映画館の前で忠雄と一緒に鈴木さんたちを待っていると、鈴木さんと滝見さんがバス停の交差点を渡り。人通りが多くなった師走の商店街をこちらに向かって歩いてくる。学校で見るのとは違って、二人はポニーテールをなびかせて大人のように着飾って輝いていた。それは俺たちにはとても華やかに見えて俺は心臓がドキドキしていたが、忠雄は数歩歩んで手を振り「鈴木さん」と声を上げた。

俺は滝見さんと声をかけずに滝見さんを見て、黙って忠雄の後に続き頭を下げた。

「ポップコーン食べる」

二人は笑いながらポップコーンを俺たちに差し出した。忠雄が愛想よく
「食べる、食べる」

と鈴木さんのポップコーンを手にし、映画が始まるまで四人とも黙ってポップコーンを

手にして、話すこともなく映画が始まり、映画は進み、俺は映画の中の若者達のファッションに魅了されていた。映画が終わると忠雄のジーンズ姿が一層カッコよく目に映り、俺はジーンズを買おうと決めた。そして沈黙のまま映画館を後に駅まで来た時、鈴木さんと滝見さんが揃って

「楽しかった」

「ありがとう」

と俺たちに顔を向けた時、忠雄が鈴木さんに

「明日も会いませんか?」

勇敢にも言ったのだった。

「滝見さんと一緒だったら」

鈴木さんが滝見さんを見て答えた。

忠雄は俺の方は見ずに即答で

「勿論、太田と一緒で」

と答えている。俺は滝見さんを見た。滝見さんは少し笑っているように見え、鈴木さんから目を俺に向けた時、一瞬目が合って、俺はどぎまぎしてまた下を向いてしまった。俺には忠雄の勇敢さはなかった。


翌日午後二時、本屋の前で待ち合わせをして俺たちは喫茶店に入った。店内の大人たちがこちらを見たが、見知った人が居なくて俺も忠雄もホッとして、コーラを頼み忠雄がウエストサイド物語のパンフレットをめくりながら、ダンスの話や主題歌の話を面白おかしく話し、俺の方をチラッと見て足を「トントン」と当ててきた。俺は何か言わないと、と思ったが声が出ない。すると滝見さんが
「今日は忘れずに」

「国語の参考書持ってきたわ」

「かるたの本も」

とバッグから本を取り出した。俺はすっかり忘れていた。そして鈴木さんが

「太田君、受験どこにするの」
「片桐君と同じN高？」
と聞いてきたので俺は
「そうです」
と答えたが本当はまだ決めていなかった。とっさに先日の家での会話がよみがえった。
滝見さんが
「私たちの行くK女子高とは近くよね」
と言ったら忠雄がすかさず
「こいつが受かれば四人で会わない」
と無責任に言って、鈴木さんも楽しそうに
「そうしましょう、約束ね」
俺をよそに三人で盛り上がり、指切りの手に俺は迷いながらも指を出して答えてしまった。それから後のことはあまり覚えていない。ただ帰りに俺は滝見さんを真っ直ぐ見て、

忘れずに
「ありがとう参考書」
「いつ返せばいい」
と俺が言うと
「受験終わってからでいいから」
「受験頑張って」
「済んだら連絡して」
と滝見さんは爽やかに言ってバイバイと手を振ってくれた。俺はそれからが地獄だった。推薦ならともかく一般受験するには、俺の頭がついてきてくれるのか。不安を抱え年末を過ごし正月になった。滝見さんからの年賀状には何も特別に書いてないから少し落ち込み、俺は
「ラグビーしていたらよかったなー」
忠雄とセットで推薦受けられたかもしれないのにと他力本願を考えても、もう遅いと改

めて気付いて、滝見さんの参考書を肌身離さず真面目に読解した。もう一つの苦手な英語は、忠雄が兄貴のレコードを貸してくれたので、ひたすらレコードをかけ英語を暗記した。だから今でもヘレン・シャピロやブレンダ・リーやプラターズはお得意である。そして何とかN高に受かった。発表の日、受かったのを確認し俺は本屋に走った。滝見さんにお礼のカードを買い「入学式が終わったら会いませんか」と書き入れて参考書と共に郵便局に走った。それから何度か校内ですれ違ったが滝見さんはこちらを気にも留めず、鈴木さんと一緒の時はちょっとお辞儀を返すだけで卒業式の日となった。忠雄は鈴木さんに

「卒業アルバムにサインをもらう」

と朝から張り切っている。俺はそんな勇気はなく

「終わったら屋上で待っている」

「幸運を祈る」

とふざけて言っていつものように、ヘレン・シャピロの「子供じゃないの」を口ずさみ

ながら屋上で忠雄を待っていると、体育館に通じる渡り廊下を滝見さんが一人で校門の方に歩いて行く姿が屋上から見えた。胸がときめき、俺は滝見さんが校門を出て行くまで見ていた。あの時、渡り廊下脇の桜の木はきれいに咲き始めていて、今より季節は明快だった。俺は滝見さんが去った校舎の屋上から、後輩たちがラグビーをし、テニスをしているグランドを見下ろして、晴れ渡った故郷の町と空を眺めて

「今日で見納め」

「サヨウナラ」

と校舎に別れを告げ、好きだった屋上をもう一度ゆっくりと見渡し、忠雄を待たずに一人で家に向かった。

高校に入学すると瞬く間に時間が過ぎ、季節はつつじの咲き誇る頃となり、高校にも少し慣れて余裕ができ始めた時、忠雄が休み時間に

「新入部員が少ないのでラグビー部に入ってよ」

「俺がさー」
「懇切丁寧に太田様に教えるからさ」
と大げさに頭を下げクラスにやってきて言った。俺は
「片桐先生、俺走れないんで」
と足を引きずりふざけると、忠雄が怒ったように
「じゃー、来週の日曜日付き合って」
「テニスの試合に」
と畳み込むように言いながら
「頼むよ」
今度は作り笑いをして手を合わせた。俺は
「ラグビー部かテニスの試合か」
「難問だなー」
「難しい分かれ道だけど」

「女子の試合にお前と行くの？」

「カッコ悪いよなー」

と言うと、忠雄がラグビーにもテニスにもＯＫせずにいる俺に
「滝見さん誘えよ」

「お前好きなんだろ」

「俺は親友だからわかるんだ」

忠雄が思わせぶりに言って
「チャンスを作ってあげるんだよ」

「俊彦さん」

「だから三人で試合見に行こう」

この決めセリフには抵抗できなかった。だが俺はむきになり
「ラグビー部入部する」

とだけ答えた。すると忠雄が

「入部もちろんＯＫだけど」

「明日、放課後部室で会う前に」

「お願い頼む」

と忠雄が言ったので、俺はまたむきになった。

「何を」

「テニスの試合」

と忠雄はまた言い返し、部室に走っていった。授業が終わり、俺は一人校舎を後に歩きながら
「つまんないなー」

「俺は何をしたいんだ」

「どこに向かって進んでいるのだろう」

胸の中で呟き「ゆらゆら」と心に穴が空いて行く。バスに乗り商店街の本屋までくると俺は映画雑誌をパラパラと見る振りしながら滝見さんが通るのを待ったが、もちろん彼

女は現れない。日も暮れて、商店街の街灯が灯りだし「ゆらゆら」した心を抱いてとろとろと家に向かって歩いて行くと、商店街から少し離れた路地の角に明々と電灯が灯り「太田電気店」と書かれているのが見えて、店先に父親が出てきていた。そして
「何処をうろついてるんだ」

「こんな遅くまで」

と言いながらバイクに乗り電気修理に出ていった。俺は返事もせず二階に上がり「ゆらゆら」を抱えながら寝てしまった。結局テニスの試合は夢と消え、数日後からはラグビー部に入った俺に忠雄は鬼コーチのように
「タックルは頭を上げろ」

「もっとバインドして持ち上げろ」

「重心低く」

「もっと早く」

と厳しく新人の俺に感情的な指導をしたが、忠雄の的確な指導のおかげで、秋には俺は

高校から始めた新入部員の中で、一番にポジションをもらえることができた。そして皆で力を合わせてボールを奪い合い、確実に味方にボールを手渡すラグビーの面白さを知りラグビー漬けの毎日が続き、年が明け、高校生初めての春休み、深夜のラジオから流れてきた歌に「ゆらゆら」が吹き飛んで世界が変わった。それはロックンロールでも、ポピュラー音楽でもない俺たちのリズムだった。春休みも終わり学校が始まると、誰もが興奮してビートルズの話題で持ちきりだった。ラグビーの辛い練習も、眠くなる授業も、彼らビートルズのビートのきいたリズムが吹き飛ばし、ワクワクさせて明日をくれた。そんな時、クラスで仲の良い佐々木がK女子高の音楽祭に、来週の土曜日に行かないかと誘ってきた。俺は即答で

「C組の片桐誘っていいなら行くよ」

「ラグビー部の片桐?」

佐々木が問い返すと同時に忠雄がドア越しに

「俊彦いる」

と入ってきた。忠雄とは今でも四六時中一緒だ。俺がＫ女子高の音楽祭の話をすると
「俺ラグビー部やめてもいいから」
「音楽祭連れていって」
久々の真顔で俺に手を合わせ、佐々木の所に飛んで行き
「Ｃ組の片桐忠雄です」
「太田とは幼馴染なので」
「一緒にお願いします」
「Ｅ組佐々木二郎です」
佐々木があっけに取られて同じように
「宜しく」
と頭を下げると忠雄がすかさず握手して
「Ｋ女子高に知り合いいるのですか」
「中学で仲が良かった子が」

と佐々木が言った瞬間、俺と忠雄は目が合って背の高い佐々木を見た。翌日も授業の合間には俺たちは三人で会いK女子高の話で盛り上がり、翌週の土曜日は仲良し三人組の絆ができ上がってK女子高の校門をくぐった。佐々木が体育館脇の花壇の前で立っている彼女を見つけて、手を挙げるとポニーテールの小柄な女子が手を振っている。俺も忠雄もドキドキしながら佐々木の後を子犬のようについて行った。

「待った、洋子」

「大丈夫よ、二郎」

俺と忠雄は佐々木が急に大人に見え二人声を揃え

「二郎かー」

と言って我に返った。佐々木が洋子さんに

「どこで会うの」

と聞くと洋子さんが我々に

「佐々木君と中学一緒だった」

「田中洋子です」

「鈴木さんも滝見さんも同じクラスです」

「呼んでくるから待っていて」

と花壇の先のテニスコートに走って行った。

「同じクラスだって」

俺たち三人は顔を見合わせ忠雄が
「二郎、お前知っていたの」

「知らないよ」

佐々木こと二郎が両手で×を作り、三人とも緊張しまくってほんの数分が、一時間程に感じテニスコートを見ていると。笑いながらK女子高の制服姿の三人組がポニーテールを揺らし、スターのようにこちらに歩いてくる。俺にはビートルズの She loves you が頭の中で回り出し yeah, yeah, yeah と心が叫んでいた。すると滝見さんが
「久しぶり」

と俺たちに声を掛け、鈴木さんが

「三人とも仲いいんだー」

「私たちと同じね」

「だから今日来たんだ」

「俺たち三人で」

俺は自分がビックリするくらい素直に言葉を交わした。忠雄もあわてて鈴木さんに話しかけ皆で音楽会場に入った。しばらくブラスバンドの演奏が続いている中、二郎がビートルズ聞きに行かないかと言い出し、皆が同時にOKした。それからが大変、女子は制服を着替えなきゃと言い出し、俺たちもと忠雄が言って。夕方駅前のバス停に皆集まる事にして一斉にオシャレのために解散した。たわいもないそんな事が楽しかった。五月も終わろうとしている爽やかな春空が夕日に染まって、駅前の賑わいが始まる頃、俺たち六人は精一杯オシャレして、大人たちが出入りするお店に繰り出した。先頭を切るのはファッションも音楽もいつも二郎だった。コーラを飲みビートルズを聞き全てが新鮮だった。それから夏休みにはキャンプ道具を持って海にも出かけ。かるた会には静かに、テニスとラグビーの試合は大声で、時間があれば皆で、ビートルズを聞いてコーラを飲んでは笑いまくり、俺の「ゆらゆら」は消えていた。そして二郎が作ったバンドがN高文化祭に出ることが決まって、俺たちは皆でこっそりビールを飲んではしゃぎまわり。さなぎが日々大人へと階段を駆け上がるようにして誰にでもある冒険と、はち切れそうな青春が６０年代を、世界を覆っていた。あらゆることの本質を頭でわかった振りをして、音楽や芸術を塗り替えたいと興奮し、本当は大人になりたくなかった。そんな毎日を皆で共有し時は永遠だと思えた。文化祭の二郎のステージは熱狂的に受けて、二郎はミュージシャンの道を選んだ。忠雄はラグビー進学して大手商社に就職し鈴木恵子と結婚した。俺も父親の関係で大手電機メーカーに入り、皆故郷を離れた。

それから十年が経ち、父が亡くなり太田電気店は小さなマンションに生まれ変わった。商店街の本屋もスーパーになり、四十代のはじめに俺たちの中学の同窓会が初めて開かれた時には、商店街はすっかり変わっていた。変わらない中学校の校舎で久しぶりに忠雄と鈴木さん、そして滝見さんに再会した。忠雄が二郎に、滝見さんが洋子さんに連絡を取り、翌日にあの頃いつもビートルズを聞いた駅前の店に六人で集まった。店の名前は同じだが今は洒落たイタリアンレストランになっていた。二十数年の時間はダリの時計のように溶けて行き、それぞれの成長と自分を見つめる時間でもあった。俺と滝見さん以外はそれぞれに人の親となり、話の端々に子供の話題が出ては温かい笑いを誘う。皆エネルギッシュな大人になっていた。二郎はライブができる小さなレストランを、東京の郊外で夫婦で経営し演奏もしている、洋子さんはシングルマザーで、地元で娘と美容院を経営していた。滝見さんは地元小学校の先生をしていて洋子さんの店の常連客だった。そしてまだ先が輝いていると、俺たちは思い思いに未来に向かって昔のように夢を語った。その日の夜、東京に帰る俺を滝見さんが見送りに来てくれた。昔は無かった駅前の静かなカフェバーで沈黙が少し流れた時、俺は滝見さんに

「俺はあの頃も今も勇気がなくて」

「でも少し変わったかな」

と滝見さんの顔を見つめ口にした。

「俊彦ぜんぜん変わってないよ」

「私の方は変わったでしょ」

と言って滝見さんが言葉を探している時、俺は初めて正直に
「滝見さんのこと好きでした」

「中学の校庭で見たときから」

「来週の週末も戻ってくるので」

「ここで会ってくれますか」

と一気に言ってワイングラスをあおった。少し時間が流れて
「いいわ、待っている」

滝見さんは昔と変わらない素敵な微笑みを返して、ゆっくりと俺にうなずいた。


それから週末はいつも東京から二時間かけて故郷に戻り、思い出深い商店街を二人で探

索し洋子さんも加わってまた青春が戻ってきた。滝見さんが「かるたの大会」で東京に来たときは忠雄夫婦も一緒で二郎の店に行く。そして滝見さんを郁代さんと呼ぶようになった年に、皆を招いて故郷の思い出の名前は変わらないイタリアンレストランでパーティーを開き俺は滝見さんと結婚した。中学を出てから三十年も経っていた。それから十年程経って母が亡くなり故郷に帰ることがほとんど無くなった。俺は東京で営業成績も上げられず、社内で出世することもなく定年まで勤め。その後子会社のビルの管理会社に赴任した。朝八時から夕方六時まで受け持ちのマンションを回っては管理業務を黙々とこなし、家に帰って郁代さんとささやかにお酒を飲み交わし、休みの日は二人で二郎の店に顔を出し「かるたの大会」で郁代さんが居ないときは忠雄を誘って二郎の店に行く。歳を重ねるごとに昔の三人組に戻っていった。そして俺はこの春二度目の定年を迎えて時間がたっぷりできたのに、元気で役員の職にあった忠雄が癌になり。三人組で会う機会がめっきり減り、俺は趣味のない自分に気づいて途方に暮れた。大した体験も苦労もせず、平凡に冒険もせず少しの見識と知見は持ったが、この人生が良かったのかと。また「ゆらゆら」が現れ朝になれば自問自答する。人は誰でも自分なりの人生をやり切ったと思えるのだろうか、俺には自信がない。ネコのモモを見ながらアレクサから流れる、あの熱狂したビートルズを聞いても新たな「ゆらゆら」は消えてはくれない。

「俺は十分に幸せだったのか」

「人生って何だろう？」

「生き残るために適応し」

「人間の幸福とは」

「何なのだろうか？」

「人間も動物だから同じなのか」

「生命と人生は違うのか？」

「生命とは自己複製システムで」

「人生とは違うと思える」

こうした禅問答のように答えが出ない事を考え。病床にある忠雄を思って、俺はいっそう強く人生を考えた。忠雄もあの大人への一歩手前だった時代を思い出しているだろうか?病院のベッドで何を感じているのだろう。俺は忠雄の手術が終われば聞いてみたい気がするが、きっと言えないと俺は思った。そんな夜に、恵子さんから連絡があり忠雄の容体が急に悪くなって、手術が見送られたと聞いた翌日、俺は郁代さんと病院に駆けつけたが、忠雄は集中治療室で面会は叶わなかった。

「何という事だ」

忠雄はあんなに元気で身体が丈夫だったのに。医師によると転移が進み、かなり体力が弱っていて治療が難しいとの事だった。俺は涙をこらえている恵子さんの肩に手を当て

「皆癌になるんだよ」

「細胞だっていつまでも元気じゃないんだよ」

と訳の分からぬ事を言い、自分の声が震えているのに気が付いた。俺は自分に

「誰でも死ぬ」

「早い方が楽だぞ」

と呟いていた。その日の深夜に忠雄の子供たちと恵子さん、俺たち夫婦と二郎夫婦が見守る中で、忠雄は静かに旅立った。きっとジーンズをはいてビートルズを口ずさみ、空を駆け上ったに違いない。俺たち夫婦は翌々日、二郎と共に忠雄の実家のある俺たちの故郷に向かった。ラグビーボールとビートルズのCDを持って。忠雄はラグビーも仕事も優秀で音楽を愛し、仲間を愛した人生だった。すっかり変わった商店街の脇道を入り、俺の実家があった通りを真っ直ぐ行けば忠雄の実家がある。だが俺は実家のあったマンションの前まで来て歩けなかった。

「俊彦またな」

「明日は帰りにテニスコートに寄るからな」

忠雄が元気に手を振っている。郁代さんが背中を叩き歩くようにと言っている。俺は忠雄といつも駆けていた道をゆっくりと歩き出して、忠雄の実家に着いた。俺は二郎と郁代さんの側で黙っていたが、不意にウエストサイド物語の映画チケットのお礼を言わないと、と思い立ちお兄さんとお姉さんの席まで行って、頭を下げウエストサイド物語のチケットの話をした。俺の頭はあの頃に戻っていて、郁代さんがシャツを引っ張りやっと我に返った。忠雄のお姉さんが思い出すように

「良かったよねー」

「マリア役の」

「ナタリー・ウッド最高だった」

「ジョージ・チャキリス」

「忠雄もファンだった」

「ありがとう」

高齢の忠雄のお姉さんとお兄さんが頭を下げそう言ってくれた。こんな時にどうして遠い昔のことを言ったのか俺にもわからない、俺の「ゆらゆら」が言ったのだ。

翌日、洋子さんと四人で皆で通ったいつもの駅前の名前は変わらないイタリアンレストランに行った。ビートルズの曲はもう流れていないレストランで洋子さんから、孫娘が

美容学校に行くことになったと嬉しい報告があった。洋子さんの美容院がバトンタッチされて行く。郁代さんが
「素晴らしいねー」
しみじみと言い紅茶を口に運んだ。俺も何だか羨ましい気持ちになって
「俺には何もないなー」
と言うと洋子さんが
「俊彦と郁代が羨ましいよ」
「だっていつも一緒で」
洋子さんが窓の外の人通りの少なくなった商店街に目をやった。俺は素直な気持ちで
「今までいろいろ体験したけど」
「大人になれたのだろうか？」
誰に言うでもなく呟いた。
「どうなんだろうね」

「できなかったことも沢山あるし」

「でもできなかった自分を見つめても変わらないわ」

女手ひとつで娘を育て、店を守り抜いた強い眼差しを、洋子さんはこちらに向け
「一日の終わりに話ができる」

「相手がいる幸せってあると思うよ」

「私はそう思ってる」

俺は郁代さんの横顔を見て心の中でうなずいた。郁代さんも黙ってうつむいて、うなずいている。黙り込んでいた二郎がLet It Beを小さく口ずさみ
「あの頃のあの情熱は置いてきぼりか?」

「俊彦」

「違うよな、違うさ」

二郎が今度はCan't Buy Me Loveを手でテンポを取り、マジに歌い出した。誰も止めずに四人は一緒に歌った。ほんの一瞬あのたぎるような情熱が俺たちを包んだ。もう戻

れない商店街の匂いと共に洋子さんも二郎も郁代さんも、思い切り楽しそうに首を振りテンポを取っている。俺には彼女たちのポニーテールが揺れて忠雄が踊っていた。それから半年が経ち二郎が脳梗塞で倒れた。俺は病院からの帰り道、郁代さんに
「故郷に帰ろうか」

と言ってみた。少し前に洋子さんから美容院の隣が空き家になったと、聞いていたから郁代さんも待っていたかのように、大きくうなずいた。

「そうだね」

「東京はもういいか」

「年金で東京暮しは無理と思ってたし」

「私、かるたのできる場所作りたいなー」

俺たちは決めた。この歳で故郷に帰ることに。

また半年が過ぎ、子供のいない俺たちはネコのモモと故郷に戻った。玄関脇の応接間を

「モモカルタ」と名付けて、郁代さんの教え子たちが「かるた」をする場所にした。俺は「モモカルタ」で集まりがあればお茶を入れ、お茶菓子を準備する。そして何もない時はアーカイブで昔の映像を見る。６０年代の映像にはビートルズの熱狂的なファンの若者たちの姿が映し出されていて、世界中に仲間がいたのだと思え、この若者たちの多くが俺と同じように淡々と平凡に日々を送ったのだろうか？　その後の人生はどうだったのか？　気になる。俺はそれだけ歳を重ねたのだ。

「人は皆過去に生きている」

そう思わずにはいられない。長い人生の旅路の後に俺たち夫婦は故郷の町に帰ってきた。ビートルズが歌った穏やかで幸せな暮らしに近づくために。今日も午後となり、ネコのモモを家に残して俺は町の商店街に向かう。何もないように見えるこの商店街の路地には、俺たちが異なる価値観を経験し、知ったことを分かち合った青春が詰まっている。空虚な若者たちの心を満たし、多くの事は学校の外で学び大人へと羽ばたく助走だった。全ての可能性は俺たち皆にあったのだ。歳を重ねた人たちがそれぞれに人生を振り返る

ことは、神様が決めたのだろうか。時はいくつもの悲しみを乗り越えてきた俺たちを、
優しく包み込むように流れ、変わりゆく町の商店街で俺は忠雄と共に散歩する。

そろそろ今日も忠雄が
「俊彦」と呼びにくる。
俺の横を走り抜け二郎が大きな声で
「Help」を歌いながら
駅前の交差点で郁代さん、いや滝見さんがこちらに優しく手を振っている。あの頃と同じで故郷の空はいつも変わらない。多くの出来事の舞台になった故郷の匂いは、大切な人からもらったお守りのように輝いて、俺たちの心の内にあった。

2023年七月完

夢

夢を見ます。
毎晩何度でも
眠入る瞬間が分からない
夢を見ます。
子供でもなく大人でもない
楽しくもおもしろくもない
夢を見ます。
もう少しで消える
脳が整理して引き出す
夢を見ます。

昔でもない未来でもない
知らない誰かの
夢を見ます。
森の中で町の中で
何処なのかわからない
夢を見ます。
空の中で海の中で
遠いところのような
夢を見ます。
今日が終わったら
明日と言う
夢は終わります。

紋白蝶

「全ては変わり、移り行くもので」

「いつかは終わって」

「皆、この世と言う舞台で束の間演技して」

「縁と言う大きな輪を回って」

「プラマイゼロで、元に戻るのですよ」

老人は俺を「ジッ」と見て、質問に答えるかのように言った。それは太陽が眩しく雲一つない六月の空を背に揺るぎないことを物語っているように思えた。それから老人は優しく噛みしめるように続けて

「ふるさとも三つあるのですよ」

「忘れないで」

と微笑を残して、バス停に向かってゆっくりと歩き出して振り返らなかった。それから

俺は桜の木がある大きな公園まで一歩一歩踏みしめるように歩いて行き、公園の芝生に

目を落とし

「血に繋がるふるさと」

「心に繋がるふるさと」

「言葉に繋がるふるさと」

と呟いて一呼吸し、老人との不思議な縁の発端となった俺との出会いを思い返してみた。

それは仕事で使う桜の写真を探していた数年前の秋、老人は今日と同じこの道の公園脇

で写生をしていた。美術大学に通ったことのある俺はなにげなく老人のキャンバスを覗

くと、キャンバスには公園の広々としたグリーンと一緒に子供たちが大きく描かれて。

子供たちは周りの風景を圧倒する勢いで気持ちがいい。老人は一心不乱に目を凝らし筆を走らせている。子供たちが自由に輪になっているその絵は、空のブルーや木々のグリーンを押しつぶすかのようにして、子供たちが一つの大きな輪のようにも見え、子供たちがキャンバスいっぱいにはみ出しそうに、楽しく手をかざして今日を一所懸命に生き、幸せに導かれるように踊る絵だった。その日は音信不通だった親父の死から七年も経ち、長い経路を経てやっと俺に届いた親父からの便りを紐解く旅の始まりで、小春日和の穏やかな午後だった。前年の夏、俺は仕事先との打ち合わせに個室のあるレストランをネットで検索し予約をして、初めて訪れたレストランでそれは突然に始まった。

「それが親父と自分のルーツ探しの始まりである」

親父とは幼い頃に別れたきりで顔も思い出せない。小学校の入学式には母親と二人で行った。それなのに俺は何故かプロレスごっこでの親父の剃刀あとが、チクチクしていたことを妙に覚えている。そんな程度の俺の記憶の中の親父だから、レストランの支配人が店の予約者名簿を確認しながら

「ひょっとして、岐阜の方ですか?」
と唐突に尋ねられ、俺の顔を見て続けて
「私も岐阜でして」
「森下と言う先輩がいたので・・・」
「ご親戚に森下徹さんという方がおられますか?」
などと聞いてきた時には、誰のことを言っているのか一瞬分からず頭の中で、心の中で
「徹、徹」
「俺の親父だったよなー」
と何度もこだましファンファーレが鳴って、
と妙に納得して
「ええ、森下徹の息子ですが」
俺は機械的に答えていた。支配人は驚いて私を見て
「お父さんは岐阜の方ですよねー」

と再度俺の顔を覗き見た。俺は一瞬頭の中でもう一度親父の名前を確認し、今度はふるさとを確かめた。埼玉で育った俺にはふるさとは埼玉で、岐阜なんて行ったこともない。
支配人は念を押すように高校の名前を口にして、今度は俺の顔を何度も見て
「似てる、似てる。先輩に」
俺に笑いかけ突然
「森下先輩は亡くなったと聞いたのですが」
と申し訳なさそうに頭を下げられたが、俺は全てが理解できず。
「親父、死んだんですか?」
逆に聞いてしまった。すると今度は支配人がビックリした顔で
「え!お元気ですか?」
探るように言いながら
「森下さんですよね!」
ともう一度俺は尋ねられた。

「ええ、森下博と言いますが」

「でも両親は離婚していまして」

「今は一緒ではないので」

と俺が答えると、支配人はまたビックリした顔で
「そうでしたか、変なことをお聞きしまして」

「でも、お元気ですよね」

少し戸惑いながら今度はすまなさそうに頭を下げ
「風の便りのいい加減な話で申し訳ありません」

「お父さんに、たまには顔を出してと伝えて下さい」

と言った後
「時間がある時、よかったら連絡下さい」

支配人から名刺を差し出されて俺は名刺を交わした。俺にはすべてが他人ごとのように思えて興味もなく時間がだらだらと経ち、秋風が吹く頃には忘れかけていたが、秋も終

わりの頃。突然の木枯らしのように職場に連絡が入った。それは木下さんと言うあのレストランの支配人だった。

「森下ですが」

電話口に返答をすると

「お忘れでしょうか？」

「お父さんと同窓の木下ですが」

「ご無沙汰しております」

「突然電話しましたのは」

「森下先輩が以前レストランに来られた時の」

「忘れ物が見つかりましたので」

「お返ししたいのですが」

電話からの申し出に狐につままれた感じで予定表を見ながら、俺に言われてもと思いながらも無意識に

「来週なら時間が作れますが」

と答え結局翌週の末にレストランに行く約束をした。そして週末にレストランに行くと、
支配人の木下さんが待っていて。

「森下先輩の忘れ物のスクラップブックですが」

と一通の封書とスクラップブックが俺の手元に届いたのだった。封書にはお寺様と書かれておりスクラップブックに挟み込まれていた物らしい。手渡されたスクラップブックと封書をチラッと俺は見て、封書は開けずにそのままスクラップブックと一緒に週明け職場に持って行き、デスクの引き出しの中にしまった。レストランでは俺は親父との経緯を話し。支配人の木下さんから親父が岐阜の高校で木下さんと一緒だったこと、親父が勤めていた会社でレストランの看板を作ったこと。そして親父が久々にレストランに来た時にスクラップブックを忘れて帰り、その後木下さんが「ふるさと」からの便りで、親父が亡くなったと聞いた事などを聞き、どれもが俺には驚きで本当に死んだのか、生きていればどこに住んでいるのかさえわからない。何だか迷惑な話だと俺には思えて結

局母親には告げず、スクラップブックと封書は職場のデスクの引き出しに今も眠っている。幼い頃から母親は親父の事は何も話さなかった。覚えているのは、自分のぼんやりとした記憶の中、公園で親父とラグビーボールを追っかけたような記憶しかない。だがそれも幼い日の唯一の俺の写真に、桜が咲く広々とした公園をバックにラグビーボールを抱えた自分が写っていたからかも知れない。俺は

「きっと後付けの記憶なんだよ」

と自分に言い聞かせ、記憶からも親父のことは忘れようとしていたのに。あの日、レストランを訪ねて木下さんに会ってからは、ただぼんやりとした不安が自分の中で渦巻いて、身体の何処かでくすぶっていた。そんなくすぶった時間を日々重ねて年を越し、夏が過ぎた頃に仕事で使う桜の写真をネットで探していると、何気なく目に留まった桜の写真が、突然記憶の中の俺が写っている家の写真と結びついて走り出し、クレジットを見て驚いた。岐阜県とある。

「確かに俺の写真の中にある桜の木だ」

ネットで見つけた桜の木と、家にある小さい頃の俺の写真に写っている桜の木がオーバーラップし、ピントが合って結び付いた。だから、どうしても確かめたくなって。桜の季節は遠く過ぎた初秋の休日に、やっと時間を見つけて岐阜の本巣の公園にやってきて、俺は公園脇の道端で写生している老人と出会ったのだった。その時、俺は楽しく子供たちが踊るキャンバスに引き付けられ、誘われるように老人に

「すいません、近くにお寺はありますか？」

何気なく聞いたのだ。すると老人は不思議そうな顔をして

「お寺なら町中にはいっぱいあるがねー」

筆先をキャンバスの先に突出し、振り向きながら俺の方に

「何ていうお寺かね？」

と顔を近づけた。俺は

「公園の近くならお寺もあるように思いまして」

思いついたまま、中途半端に答えると老人は

「若いのにお寺巡りですか」

と言いながら憮然とした顔で向き直り、キャンバスと写生道具をしまい始めた。

「じゃー」

俺が頭を下げると老人は
「椰子の実という童謡知っていますか?」

唐突に聞いてきて、

「幼いころよく歌ったのですが、今の若い人は知らないでしょうねー」

とまたこちらを見た。

「名も知らぬ　遠き島より　流れ寄る　椰子の実一つ」

「ですよねー」

俺が歌って答えると、老人は親しみのある笑顔に変わり
「島崎藤村の詩です、ご存じでしたか」

小さく頭を下げて嬉しそうにバス停に向かって歩き出して行った。残された俺は

「都会から流れきた椰子の実一つだなー」

と確かに納得して。

「ふるさとの岸を　離れて　汝はそも　波に幾月」

と口ずさみながら夕暮れの桜の木を見るために足を早めた。広々とした芝生の広場から見るその桜は、天然記念物に指定された桜の木。花が散り秋の面影をまとった桜の木のその側に、俺は目立たぬが豊かに葉を付けたクスノキを見つけた。それはまぎれもなく俺の頭にこびりついていた、記憶の中にある一本の木だった。幹に触れて見ると肌触りに懐かしさがあり。手に残った感覚は、子供の頃のままで気が付くと辺りは子供の頃の静けさの中にあった。俺はそっとクスノキの幹に子供のように何度も手のひらを当てて見ると、確かに子供の頃触れた木の温もりが感じられて、今度はゆっくりと幹に両腕を回して耳を押し当てた。すると何かそっと呟くような音が伝わり、そのクスノキは大きな主役の側で写真と同じように何も変わらずに、ひっそりと立っていた。

「この足元の芝生の上を走ったのかなー」

クスノキの幹から手をはなして俺はゆっくり走ってみた。弾む足、香る匂い、

「確かにこの空だ!」

走りながら見上げた空は、幼い時の俺の空に違いなかった。

東京に戻り数日経って、俺は木下さんのレストランに顔を出した。
「岐阜に行って公園の桜見てきました」
木下さんに告げると
「本巣の淡墨公園に?」
「どうして」
と直ぐに聞き返し、懐かしそうな目で
「後で珈琲持ってくるから」
木下さんが嬉しそうに笑って返した。少し客が引け、木下さんが珈琲を持ってテーブル
に着くと、直ぐに公園より封書が気になっていたのか

「森下先輩の消息は」

「お寺はどうだった、見つかった？」

とたて続けに聞かれ俺は
「お寺様としか書いてなかったので」

「なるだけ近くのお寺三軒は訪ねたんですが」

「森下と言う墓も檀家もないと言われました」

と答えると木下さんは珈琲をすすめながら
「何でお寺様宛の封書なんか持っていたのかなー」

「不思議だよなー」

ひとり言のように呟いて考え込み
「森下先輩は当時どこに住んでいたかなー」

と腕組みをして目を閉じた。

「木下さん仲良かったんですか」

思わず珈琲を飲みながら俺は聞いてみた。すると木下さんは
「一級先輩だったし、同じ中学でもなかったからねー」

「部活で一緒だった、だけなんですよ」

と言いながら、遠い昔を思い出したように
「でも私、絵が好きだったので森下先輩と絵の話を時々したなー」

「部活の帰り道なんかでね」

「あの頃、部活の先輩たちは神様的な存在だったけど」

「森下先輩は絵が好きだって言っていて」

「話しやすくて」

「時々帰りをご一緒しましたよ」

「そうだー」

「確か森下先輩は遠くから電車で通っていたなー」

「住まいはどこだったのだろう」

遠くを見るように木下さんが呟いた時、俺は親父に関心なかったことが少し寂しく引け目を感じて一気に珈琲を飲み干し、木下さんにまた来ますからとお礼を言ってレストランを後にした。外は少し湿気が収まってひんやりとした空気が漂い始め、人通りが増えた繁華街の通りを俺はなぜか馴染み切れずに足早に駅に向かった。そしてまた週明けの忙しい中に入り込み親父のことは忘れ、日々の仕事に流されていた。そんなあわただしい秋の午後に

「森下君」

と呼ばれてチーフのデスクに行くと、来春に出すあの桜の写真を使った広告のプレゼン資料があった。チーフがプレゼンの桜の木の写真を指差して

「クライアントが」

「全体じゃなくって」

「見上げるような桜の」

「アングルが欲しいって言ってるから」

「桜の写真差し替えてよ」

と言って写真の集まった資料ファイルを渡された。翌日俺は資料ファイルをくまなく見たが納得できる写真がなかった。その夜、職場のデスクの引き出しからお寺様と書かれた封書を俺は出して開けてみた。中には文字もない便せんにくるまれて、二万円が入っているだけで何もなかった。そして閉店間際の木下さんのレストランに直行し封書の話もして
「淡墨公園の桜の写真ありませんか?」

と聞いてみた。

「二万円?」

不思議そうに木下さんは言い、あわてて
「桜の写真かー」

「ずいぶん帰ってないしスマホには公園の写真はないし」

「でも家にある古いアルバムになら」

「公園の桜の木が写ってる写真あるかも知れないから」

「今度アルバム見てみるよ」

と木下さんはいつものように珈琲をサービスしてくれた。自分でも何故こんなに淡墨公園の桜に固執するのかわからない。桜の写真ならネットで探せばいいのに、あの時触れた脇役のクスノキの感覚が、手のひらを覆っていて何かを囁いているようで。俺はあの公園を子供の頃走り回っていたと考えれば考えるほど、自分の中で淡墨公園が大きくフィードバックする。そして秋も深まった週末に、木下さんから連絡があった。俺は日曜日の彼女との予定をキャンセルし今日、木下さんの自宅を訪ねるために多摩川べりを歩きながら、俺はどうしてここを歩いているのか?どうして淡墨公園に固執するのか?

と自問自答してみて。結局
「心は常に移ろうから、考えが変わることもあるさ」

と自分に言い聞かせ、俺は親父探しの扉を開けたのだった。周囲をみると紅葉が綺麗で幸せそうな親子が手をつないで歩いていて、平和に見える陽射しが川べりの隅々まで輝き木々の葉を照らしていた。俺にはそれが少し眩しく感じられて木下さんの玄関先の鉢植えに目を落とし、思い切ってブザーを押すと木下さんがいつもの笑顔で迎えてくれた。
「彼が森下先輩の息子さんの博さんだよ」
紹介された奥さんが
「横顔がそっくりねー」
懐かしそうに目を向け
「本当によく来てくれました」
と微笑んで出迎えながら
「昔を思いだすわー」
と続け居間に通された。早速アルバムを取りに奥さんが居間を離れた時、俺は
「奥さん、親父のこと知っているのですか？」
と尋ねると木下さんは
「私とは高校の同級生だから、森下先輩の事は覚えているさ」

「狭い町だしね」

と言って木下さんが居間に戻ってきた奥さんからアルバムを受け取り開き始めたとき、俺はちょっと何かを期待する感覚を覚え思わずお茶を飲んだ。木下さん夫婦があぁだ、こうだと楽しく二人でアルバムをめくりながら、アルバムをこちらに向けて指を差した。

「これ確か高校二年生の秋の大会前に撮った写真だよ」

ラグビージャージ姿の仲間が数人でふざけ合っている写真の中に、若き日の親父と木下さんが笑って写っていた。俺には親父の顔が思い出されず、木下さんが指を差した人をあらためて凝視して。この人が俺の親父かと心の中で叫んでもすぐにはピンとこなかった。木下さんが
「森下先輩の写真これだけかなー」

「昔は今みたいに写真撮らなかったからなー」

と言いながらアルバムをめくり、思い出したように奥さんに
「お前の昔のアルバムに公園の桜の写真ないかなー」

と木下さんが今度は奥さんの独身時代のアルバムを手に取りのぞき込み、ページをめくってまたアルバムをこちらに向けて俺に

「これはどうですか?」

淡墨公園の桜の写っている集合写真を指差した。

「人が写ってない方がいいのですが」

と言うと木下さんが

「たいがい家のアルバムには誰か写っていますよ」

当たり前のように言われて、俺は家のアルバムに収まっているあの公園の写真にだって、俺が写っていると思うと妙に納得ができた。そして今度は木下さん宅のアルバムを俺はどうして見ているのかが不思議に思えたが、それは紛れもなく自分探しだと感じた。その後、お昼ご飯も頂き夕方近くまで話が弾んでの帰り道、多摩川の夕焼けを見ながら木下家に一枚だけあった親父の写真が目に浮かび、俺の家の家族写真のアルバムに親父の写真がなくて、俺の知らないはるか昔の写真が、親父の後輩のアルバムの中で親父が笑

顔で残って居る。それは親父を俺に導いてくれた不思議さと共に、なんだか寂しい気持ちが入り混じり、夕日が重たく心に沁み込んだ。俺には写真というのは写した人が相手を見ているように思えるが、実は永遠に写されている人から何かを語られているようにも思えてきて、何だか急に親父と話したい気持ちになって

「親父」

と初めて声を掛けたくなった。あの写真が撮られた時、親父は何を思っていたのだろう。夕暮れの多摩川べり、秋風がそっと俺に触れて、心が沈んで行くのを感じた。

結局、広告に使われた桜は淡墨公園の桜の木から他の桜の木に入れ替わり、年が明け冬も終わりの頃、全国紙の新聞に掲載された。俺は久しぶりに親父のスクラップブックを職場の机の引き出しから取り出し開けて見た。マチスやピカソの複製画の切り抜きや俺が描いたと思われる子供の絵、そして海の写真、ラグビーの新聞記事など雑然と収まったスクラップブックは年月を感じられるものだったが。そこには年月よりも、もっと違

う次元の何かがブラブラとぶら下がっていて、俺にジワリとまとわりついてきた。スクラップブックを元の引き出しに戻し、俺には幸せの定義なんて無いように思えてきた。親父が望んでいた幸せは何だったのか、そして親父は望んでいたことを実現したのか。そんなことを漠然と考えて、俺は半年ぶりにまた多摩川べりを春先の風に吹かれて木下さんのお宅に向かった。今度は桜の写真ではなく親父のことで、俺が木下さんのお宅を訪ねると。子供のいない木下さん夫婦は俺を我が子のように喜んで迎えてくれ故郷の話をし、食事を準備し、岐阜の言葉が飛び交い、木下さん夫婦との時間は繋がっていてなぜか心地がよかった。帰り際に木下さんがラグビー仲間の連絡先を紙に書いてくれた。そのメモを風が吹く帰りの多摩川べりを歩きながら眺めてみた。親父とつながっている人たちがいる。でもなぜか俺は直ぐにポケットにしまってしまった。そしてまた一つ年が明けた冬に、木下さん夫婦から手紙が届いた。開けて見ると親父の写真のコピーが入っていて、今度は直ぐに親父とわかり懐かしい気持ちになった。木下さんによると、物流会社に就職した親父の同級生で木下さんの先輩が本社勤務になり、木下さんのお店を訪ねてきた時に俺の話をしたらしい。手紙には先日、藤原さんと言う先輩が森下先輩の写真を持ってきてくれたので送りますと書いてあった。それでも俺は相変わらず仕事の忙しさにカコ付けて木下さんのレストランに顔も出さず、また桜の季節となって朝夕の通勤でいやおうなしに桜の木が目に入った時、無性に淡墨公園に行きたくなった。淡墨公園は俺にとっては不思議な存在になっていたのだ。それをもう一度確認する為に。だからといって、そのことに何の意味があるのか分からないが。でも俺は公園の木々にやはり会いたいと素直に思って、久しぶりに多摩川べりをまた春風に吹かれて今、木下さんの家に向かって歩いている。木下さんの家では先輩の藤原さんが待っていて、卒業アルバムや写真を俺のために持ってきてくれていた。藤原さんは木下さんと昔話に花を咲かせて、親父と交流のあった人達に次々と電話やメールをしては、久しぶりの先輩後輩の会話が嬉しそうで

「博君、徹のお陰だよ」

藤原さんが俺に笑顔を向けた。きっと親父も俺に大切な友達に会ってもらいたかったの

だろうと思った。俺は藤原さんが差し出す卒業アルバムの写真や親父の文章を目にした時に親父が急に身近に思え、心に封印していたものがほんの少しやわらいだ。俺は素直になって

「この人の子なんだ」

と身体が感じて弾んでくる、これは何なのだろう。親父は

「自分と言う人間がどんな人間だったのか」

俺にも知ってもらいたかったのだろうか？

「わからない」

翌週、早速休暇を取って岐阜の本巣にやってきた。今、淡墨公園のクスノキにまた手を当て惜春の空を見上げて足を踏み鳴らす。そして少し耳を幹に当て

「ひさしぶり」

と呟いてみた。生きているものが衰退し、崩壊してゆくのは自然なことだが、クスノキはどこにも行けず、この場で根を下ろし一生を終える。葉桜になった桜の木の脇で静か

に葉を茂らせているクスノキは、俺にとって親父のようにも思えて不思議な存在になっていた。そして世の中の片隅で忘れ去られたように咲く公園の木々が、どれもとても頼もしくて眩しかった。

「俺は変わったかい」

俺のクスノキに尋ねても葉音を返すだけでニコリともせず佇んでいる。俺はクスノキに手を当てながら。先日藤原さんが懐かしそうに話しをしてくれた言葉を一つ一つ思い出してみた。

森下徹は身体は細いが足が速く、少し内気な性格で絵が得意だったと言うこと。祖父は保険会社のサラリーマンで親父は祖父の転勤で高校一年の時に転校してきたことや、親父は絵描きに憧れたが祖父に反対されて建築の道を目指し、東京の大学に進み藤原さんとはよく会っていたらしいこと。藤原さんによると当時は様々な権威を否定した大学紛争の中で建築科に進んだ親父は、単機能的な建物より人間がより自由でいられ内も外もない解放された権威的でない建物を目指し、分断されて行く都会の中で人間本来の共感力を取り戻したいと、藤原さんにいつも語っていたらしいが、結局親父は高度成長の中でオフィスビルと言うコンクリートの箱がますます増え高層化され、プレキャスト工法のマンションが立ち並び、人々が切り離されて孤立化に向かうさまに思いを巡らし悩んで、また絵を描く事に夢中になったようだと藤原さんは言っていた。そして親父は政治的配慮と学閥が幅を利かせた建築業界や何も変わらない社会の仕組みに疑問を感じて。再度、絵描きになる決心をして独りヨーロッパの旅に出てしまったと藤原さんから聞いた。きっと親父も六十年代、七十年代に叫ばれた自由への憧れや権威否定する風潮の中で、当時の音楽や芸術の影響を受けた多くの若者の一人だったに違いない。そんな若者達が将来の不安と葛藤の中でもがき、夢を追いチャンスを求めたように。親父も海外に夢を見たのだろうが、結局は日本に戻り絵が描ける事だけで広告会社のサラリーマンになったようだ。思いは果たされたのだろうか、俺にはわからない。母とは何処で知り合ったのかは藤原さんも知らなかったが。俺が生まれた頃に広告会社を辞め故郷の岐阜に戻ったのは確かで、俺は間違いなく岐阜に居てこの淡墨公園を走っていたのだ。藤原さんによると程なくして離婚し逃げるように親父はまた諸国を放浪し、最後にマニラからバギオと巡り知人を頼って、サンフェルナンドにアトリエを作り。毎日南シナ海を眺めては飽きずに海の絵を描いていたらしい。藤原さんを最後に訪ねてきた時には

「俺は天涯孤独の身だからもう日本には帰らない」

と言って、それからは藤原さんにも便りが無かったそうである。本人の願いは叶ったのだろうか、考えてみれば迷惑な話である。藤原さんによれば木下さんにも徹はきっと別れを言いたかったのだろうと言っていたが、俺には甘ったたれた我儘な人生のように思えた。息子の事など何にも考えず、天涯孤独などと言いながら放浪し友人を訪ね後輩の店に顔を出す。悩みや不安があったのだろうが、俺なら悩みや不安は誰しもついて回ると思い、失敗のない人生などは無く、もう一度乗り越え、自己を立て直そうと考えるのに。

「人生が自分の思う様には進まないこと位、分からなかったのか？」

と親父に問いたい気持ちとやるせなさが重なって、木下家での俺は親父探しはもう終わ

りにしたいと思えてきて、藤原さんや木下さんに伝えたかったが

「俺にとってはやはり親父なのである」

結局思いが揺らいで、休暇を取り、またこの公園にやってきたのだった。俺はクスノキの幹から手を離し、藤原さんの思い出話から我に帰り、クスノキを懐かしく見上げた。するとクスノキが面と向かう俺に何かを訴えてくるような気がした。本巣の空を背景に寡黙に突っ立ち、脇役はいつも頼もしくて、俺を遠い子供の頃の世界にいざなってくれる。そんなクスノキにまた手を戻しながら、俺はゆっくりと淡墨公園を見渡し、耳を澄ませたがクスノキは何も答えなかった。この公園で自転車に乗る練習を親父としたこと、一緒にラグビーボールを蹴ったことなどが紛れもなくよみがえって時が過ぎ、夕陽が主役の桜の木に影をつくり始めた。そして今度こそ親父のことはもういいかと、俺は自分に向かって言って聞かせ、決心して桜の木が落とす長い影を、踏みながらホテルに向かって歩き始めた。すると後ろから呼びかける人が居て、ふり向くと公園脇の道で話をしたあの写生の老人であった。老人が

「またお寺探しかね」

と今日は自転車を引きながら歩き、俺に聞いてきた。俺は思い切って
「昔別れた親父の縁があるお寺を探していまして」

と言うと老人はちょっと寂しそうに
「何という菩提寺ですか?」

と聞いてきた。

「お寺の名前はわからないのですが」

「この公園の写真が家に残っていまして」

「近くのお寺さんかと思うのですが」

俺が小さく答えると
「なんなら一緒に回ってみましょうか?」

「明日の午後なら公園で写生しておりますから」

と自転車に乗り手を振って行ってしまった。

本当は母親に話して戸籍を役所で調べれば済むことだが、母親に聞く雰囲気ではないし、こうして少し他人事のように謎解きの迷路に入った方が俺の気持ちが楽だったが、それも今日でおしまいだ。本当は親父の事より自分探しの旅だったのかも知れない。俺はその夜ホテルの窓越しに月を見て、ふとこの街の最後の思い出に一杯やりたくてホテルを出た。望んでいたことが実現せずに空虚に思われることもある。だからと言ってやけになっても仕方がない。現実を受け入れるだけだと、俺は駅前まで行き一軒の居酒屋を見つけて入り、少しのアテとビールを頼んで、俺がスマホに目を落としているとポンと肩を叩かれた。振り向くと、なんと先ほどの公園で出会った写生の老人ではないか。俺は目を丸くして

「ご近所ですか」

と聞くと老人は上を見上げ指をかざして、カウンターに目をやり

「今は息子の店です」

とビールを差し出された。

「森下と言います、覚えて下さって」

「ありがとう御座います」

俺が頭を下げて言うと、今度は老人の方が目を丸くしてまた肩を叩かれ
「私も森下です」

と大きな声で答えた。世の中の縁とはどのように絡みあっているのか不思議である。俺は写生の老人から、この地での森下家物語をじっくり聞かせてもらい。聞けば聞くほど、ご先祖様が繋がっているように思え、その日は長い長い夜となった。翌日、写生の森下老人に連れられ俺は一緒に岐阜市内の森下本家を訪ねた。

「森下権左衛門」

なんとも古めかしい表札である。表札に一礼し玄関わきの応接間に通されると、写生の森下老人によく似た顔の森下本家の当主が入ってきた。ふたり並ぶと兄弟のようだが従兄弟だと言う。俺が
「森下さんにお聞きしまして」

「初めて、お伺いさせて頂きました」
「森下博といいますが」
「森下徹をご存知でしょうか」
恐る恐る尋ねると本家の森下さんは手にしていた家系図を広げ
と言いながら指を差す先に、三代前の当主の三男坊の長男の孫の所に徹とあった。家系図を見ると写生の森下老人は二代前の次男の孫であった。写生の森下老人は本当に俺の親戚であったのだ。そう言えば
「三代前の当主の関係に」
「十世代も遡れば皆な親戚だよ」
と誰かが言っていたなーと思いながら、俺はまた恐る恐る親父の現在の住まいを聞いてみた。すると本家の森下さんが俺を見て
「私も親戚連中も、誰もわからなかったがね」
「じつは七年ほど前に役所から私に連絡があって行ってみると」

「東京の鎌田と言う所で亡くなった方の本籍地が」

「岐阜だったので」

「東京の警察から役所に問い合わせがあり」

「役所で詳しく調べたら」

「なんと森下の遠縁だとかわかりまして」

「まだ納骨されずに鎌田の警察に保管されているので」

「役所から取りに行ってほしいと言われましてね」

「行きました」

俺は本家の森下さんに深々と頭を下げお礼を述べると、親戚だった森下老人が
「お礼などいいんだよ、親戚なんだから！」

優しく俺の肩を叩いて
「澄ちゃんビール」

と奥に声を掛けて本家の森下さんに

「そんなこと全然知らなかったなー」

「徹さんって聞いたこともあるようだけど」

「知ってたの？」

親戚の森下老人が尋ねると、本家の森下さんが庭を見ながら
「この庭で遊んだ中に徹ちゃんて言う子」

「居た気もするんだが」

「あの頃、戦後で子供は大勢いたからねー」

「はっきりは思い出せないけど」

「間違いなく親戚なんだよ」

と本家の森下さんが笑った。すると
「嬉しいねー」

「東京に親戚がいたよ」

親戚の森下老人も笑顔で本家の奥さんからビールを取って俺に注いでくれた。本家の森

下さんによると、森下徹の父は戦前にこの街から満州に行き満鉄に土木技術士として勤務し、現地の人と結婚して長男が満州で生まれたが敗戦となり。一家は長男を失いながらも大変な思いでこの地に引き上げてきて、陽気だったが寡黙になり、戦後の厳しい時代に親父が生まれたらしい。そして俺の祖父は保険会社に再就職し、一時名古屋に住み親戚とも縁遠くなり、俺の親父が高校生の頃に祖父の転勤でまた岐阜に戻ってきたが、やがて親父が東京に居た頃祖父、祖母も亡くなり本家とは往来が無くなったと、本家の墓に親父の納骨をした際に親戚の長老から聞いた話をしてくれた。そんな話の後に本家の森下さんは俺に

「幼い頃別れたのに、どうして急に故郷を訪ねる気になったのですか?」

と俺に顔を向けた。俺は散々迷惑をかけて、今頃本家に顔を出すなんてと思われているのだろうなーと、頭をよぎったが意外にも

「親父がふるさとでどんな風に生き」

「自分と接していたのか知りたくなりまして」

自分でも思いもよらずスラスラと口にし、二人の森下さんを交互に見た。

「それはきっとふるさとが呼んだんだねー」

親戚だった森下老人がにこりともせず答え
「博さん、岐阜出身の島崎藤村が、ふるさとの小学校を訪れてね」

「三つのふるさと、と言うのを話したんですが知っていますか？」

と俺に顔を向け、ゆっくりとした口調で
「血に繋がるふるさと」

「心に繋がるふるさと」

「言葉に繋がるふるさと」

と続けて
「貴方にとってはこの地は何に繋がるふるさとかねー」

と呟いた。翌日も俺は淡墨公園に行き親戚の森下老人と一緒にお茶を飲みながら森下家の話をまた聞いた。そして親戚の森下老人は

「ヤシの実が流れ流れて、帰ってきたんだね」

「ふるさとに」

と言って俺の肩をポンと叩いて
「ふるさとにたどり着けて、良かったね」

「ヤシの実さん」

と笑ってから優しい顔をこちらに向け
「人の幸せはそれぞれだがね。ふるさとで繋がってね」

「他人から見れば空回りしているようだが」

「深い所で繋がっているんだよ」

「どの人でも、人の一生はひとつの大きな輪のようで」

「親や環境がプラスやマイナスにもなる事もあるがね」

「長い人生で見ればぐるーと回って、繋がって元に戻る」

「死ぬ時には結局はゼロで縁の輪を誰かに繋ぐのですよ」

「そして決して一瞬一瞬はゼロじゃなく、輝いていて」

「きっと無限に誰もが繋がっているのですよ」

静かに話すのを聞き、俺は子供たちが輪のように繋がる絵を描いていた真剣な横顔と今の温和な顔が重なって見え身近に感じた。親戚の森下老人は
「公園で遊んでいる元気のいい子供たちを見ているとね」

「私には皆が繋がって輝いて見えてねー」

「筆がスムーズに流れて踊るんですよ」

と目が嬉しそうに語り俺を見続けた。

「桜の妖精が描かせるのかも知れませんね」

と俺は答えた。あの雄大な桜の木の風貌も、ひっそりと脇に立つクスノキの幹の温もりも、何かを包み込むような力があり、確かに公園で遊ぶ元気な子供たちに時を越えて、大きな輝きと縁という輪を放って繋がっている。

「間違いなく俺にはそう思えた!」

脇役も主役も繋がって輝いて、この場所も俺を形づけた輪の一つであり、大きな繋がりの要因だ。そして俺には母と父の血が紛れもなく流れ脈々と繋がって今がある。その夜、親戚の森下老人の店にまた行き、歳の近い息子さんと話をした。親戚だと言う事だけでこんなにも素直になれて俺は自分を隠さず話が弾んだ。森下光雄君は歳が二つ下でラグビーをやっていたと知り
「俺は小さい時、親父とラグビーボールで遊んだよ」

と言うと光雄君は目を輝かせ
「うちは絵ばかり描いていて、羨ましいなー」

「俺！子供ができたら、一緒にラグビーするんだ。絶対」

と答え優しい目で返してきた。

「俺は一緒に写生したいなー」

と言い。兄弟がいればこうなのかなーと思いながら酒が進んだ。遠い遠い昔から我々の先祖は挫折や苦悩を積んで、私たちにバトンタッチしてきた何かが確かに繋がっている

のだ。酔いが心地よく、時間がゆっくりと過ぎて行く。明日で休暇も終わる、明日の午前中には森下本家の墓に行く。俺はホテルに帰り明日の帰りの準備をしてベッドに入ったが目が冴えて眠れない。俺は孤独な少年時代を過ごした。クラスメートとの会話で親父の話題になったときは、そっと場を離れ、父親参観日は嫌いだった。休日にクラスメートが親父さんと一緒にいるのを見ると羨ましかったし、高校の頃は自分の親父のダメさを自慢しているクラスメートに腹が立った。俺は親父が幼い頃、突然いなくなった現実を日常生活の中で消化できずにいて、どう受け止めればいいのかわからずに「居ない」ことにずっと「蓋」をしていたが、今その「蓋」を外すことができるように思えた。翌日、森下本家の大きな仏壇の前で俺は親父の話をまた黙って聞いた。それは取りも直さず俺の人生の一部を司るルーツであった。親父の最後は近所の馴染みの飲み屋のママが、お祭りの相談に親父のアパートに訪れて発見されたらしい。死後一週間以上たってのことである。親父の人生は何もなく、何も残さず誰からも忘れ去られていた。だからと言って親父の人生が幸せでなかったとは思わない。少し涙が込み上げて本家のご主人の顔が見られずに畳を見つめてお礼を言った。ご主人がそれではそろそろ行きましょうと席を立ち、森下家の菩提寺に向かった。菩提寺は街中にあり、思ったよりお寺は小さくて周囲をマンションに囲まれていたが、歴史ある静かなたたずまいの中にあった。住職が出てこられ、私たちが墓の前で手を合わせようとしたまさにその時、俺の足元から不意に紋白蝶が現れ少し羽ばたいて墓石を越えて消えた。間違いなく皆の前をそっと越えほんの一瞬俺の足元で羽ばたいて去った。俺は菩提寺の中で一言も話すことができなくて、墓の前でも無言だった。読経の後、お寺を出て親戚の森下老人がお茶に誘ってくれた。俺は無言で珈琲を飲みながら本家のご主人が「徹ちゃん」と何度も話の中で親しく言っていることが不思議に感じられ思わず

「親父の為にすいません」

と言ってしまった。

「博さんそんなことないですよ」

「親戚じゃないですか」

「きっと小さい頃遊んだことのある徹ちゃんですから」

本家のご主人が晴れ晴れとした笑顔で
「博さんも親戚だからいつでも訪ねて来てください」

「遠慮はいらないですから」

と両手を出して握手をしてくれた。親戚の森下老人が
「一人一人誰だって何もなくゼロなんだけど」

「集まって何かを伝えているんだな」

「何かを」

「博さんも輪の中にいて私たちと繫がっているんですよ」

と言うと本家のご主人がまた
「だから博さんも遠慮せず、来てくださいよ」

優しく繰り返し言って数日前には他人のように思えた人たちが、身内という括りの中にあり居心地が良かった。そして写生の森下老人は親戚の森下老人になっていた。俺は上

司の顔が一瞬浮かんだがまた一晩この街のホテルに泊まり一人親父の人生を考えた。世の中の流れの中で若い時には少々ヤンチャもし、人のために何かをすることもなく、夢だった画家にもなれず、都会の片隅で愚痴も言わず。ひっそりと閉じた人生だが、きっと親父にも少々の起承転結があり。俺が生まれて多くの人と繋がって、人生を終えゼロとなったのだ。後悔はなかったはず。人は皆同じでこの世に流され誰かの心の中でほんの少し漂って消えて行く。きっと俺だって、それでいいような気がする。枯衰えて永遠に瞼を閉じても人は誰かに幸福を繋げ置いて行く。子供がいたらほんの一瞬子供の側に、パートナーや友がいても同じように。そうしてこれまでにどれだけの人たちが、この世という世界に一瞬現れ、縁を繋げて消えたのだろうか。その夜遅くに雨が降った。俺には世界で一番優しい雨に思え、いつまでも飽きずに雨音を聞いた。

翌朝、親戚の森下老人と公園で会い、お礼を言って一緒にバス停近くまで行き、別れたが心は繋がっていた。梅雨前の雲ひとつない六月の晴れ渡る空の下を俺はゆっくりと歩

いて行き、公園内の芝生を踏みしめて縁のある人々を思い出しながら
「血に繋がるふるさと」
「心に繋がるふるさと」
「言葉に繋がるふるさと」
と呟いて森下老人との不思議を思い、一呼吸し変わらない空を見上げると。幼い頃から今まで経験したさまざまな事が走馬灯のようによみがえり、公園いっぱいに広がり。俺を成長させてくれた全ての事に感謝したい気持ちが込み上げて
「親戚に出会えたよ、桜さん、クスノキさん!」
公園の脇役と主役の桜に小さく語り
「紋白蝶を見たよ!ありがとう」
「親父だったのかなー」
とクスノキの幹を何度も何度も撫ぜた。そして全身に風を感じ公園の青空を見ながら一時間程、傍らに腰を下ろして、黙って不思議な縁をしみじみと感じ空気を吸い、とても

気持ちが良かった。東京に帰ると職場の机の引き出しから、また親父のスクラップブックを出し開けてみた。絵の寸評の切り抜きや展覧会のチラシとともに淡墨公園の桜と思われるスケッチや子供の日の社説が入っているだけで、見た目には親父の痕跡は何も無いスクラップブックだが俺は大事にバックパックに入れ自宅に持って帰った。

大井町は細かく道が入り組んで、こじんまりした飲み屋が多い。「助六」もその一つ、常連客の多い店の暖簾をくぐるとママがどなたと言う顔で見る。愛想がないようだが実は優しい人である。ここも親父の縁が引き合わせてくれた。コロナが蔓延しだした年末に、森下本家のご主人のメモを頼りに初めて「助六」に来た時は、店の前で少し躊躇して迷い立ち止まったが、お客さんに押されるように店に入るとママが驚いたようにこちらに顔を向け

「森下さんよね、違う」

とカウンターから俺に話しかけてきた。俺は下を向きながら

「森下博と言います」
「親父がご迷惑をお掛けしました」
小さく言うと、今度は本当に驚いたようにママが冗談でしょという顔で壁を指さした。
そこにはお品書きに寄り添うように小さな絵が飾ってあり。俺は恐縮しながら絵とママ
を交互に見ると
「森下さんの絵ですけど」
「本当に森下さん」
ママが恐る恐る言い
と念押しをした。俺は
「森下の息子です」
小さく答えると
「絵、勝手にもらったけどゴメン」
とママがビールを取り出し俺を席に促して注ぎ始めた。俺はただ黙って座りビールも飲

めず絵を見つめていると、今度は優しい顔で
「息子さんかい、よく来たね」
「今日は私のおごり、飲んでおくれ」
とカウンターを出てきて隣に座った。馴染み客が驚いたように大げさに
「俺にも一本」
指をママに向けて立てて
「徹さんに乾杯」
と言った。俺はその時、親父が本当にこの店の常連客だったのだとわかった。十年近く経ってもお客達が親父のために乾杯してくれる。ママは馴染み客にビールを注ぎ、少し間をおいて
「カウンターの左から二番目のこの席が」
「徹さんの席だった」
俺に諭すように言った後

「息子さんなんて一度も話に出なかったよ」

「さー、飲んで」

「あの無口な森下さんにねー」

「徹さんに息子さんがいたなんて、本当にビックリだね」

と立て続けに言いながらカウンターに戻り
「だから、入ってきた瞬間。幽霊かと思ってさ」

「足が震えたよ、ゴメンね」

とまたゴメンを繰り返した。笑ったママのその眼には涙があり、ここにも縁があるのだ。痛い程ママの心が伝わって、俺はただ黙ってうつむき親父を想った。それからは俺も「助六」の常連である。ママが指差した絵は東大の赤門を描いた油絵で、人は誰もいない寂しげな絵に、際立った特徴もなく赤門に乗ってきたばかりの自転車が小さく遠慮がちに描かれている。親父らしい気がした。下手な絵ではあるが店の皆には「徹さん」の絵である。ママの話によると、親父はいつも広島でビル清掃をしながら使い慣れたモップや

デッキブラシなどを描いている庶民の絵描きさんがいるんだと言い

「いいよねー」

「ギャラリーに収まっている絵じゃないんだ」

「サロンには無い誰にでもわかる」

「庶民の絵、大衆の絵だよ」

「だから力強くて権力に負けてないんだなー」

「芸術も民主化してさ」

「誰でも共有できるものにね」

「俺も、誰もが見捨てているモノに」

「光を当てて描きたいなー」

「画商や美術館とは無縁の心打つ絵をね」

「マチスも晩年には身の回りのモノを描いたんだ」

「そこに真実の美しさがあるんだよ」

飲んではいつも言っていたらしい。確かにそのような記事がスクラップブックに残されていた。親父も懸命に何かを掴もうともがき、何かに耐えて見捨てられたような自転車を赤門と共に描き、ここに残した。夜勤仕事の帰りに「助六」に寄り、この街と縁を作り生きていた。気ままのようだが胸の内はどうだったのだろうか。少々の楽しさもあり六十四歳の短い人生を終えたのだろうか。謎はつきず、お品書きに寄り添うようにある絵が何か言いたそうにこちらを見ている。

「人生とは振り返ることによって理解される」

そんなことを聞いたことがある。親父の人生はきっと永遠に理解できないだろうが、親父の痕跡に胸が熱くなる。お寺への封書のようにきっとまだ解らなく、知らない事だらけなのだろう。俺は「助六」に行く時はいつも少し緊張してお品書きの隣に飾ってある絵を見る。お客が少ない時間にはママが親父の事を、ぽつりぽつりと話すことがあった。今日もママが煙草に火をつけながら突然

「博ちゃん私ね、徹さんが亡くなった後」

「アパートの部屋を清掃するからと言われて」

「大家さんと一緒に立ち会いに行った時にね」

「もうずいぶん前になったけど」

「悪いことしたなーと思っていることがあるの」

と言って俺の顔を覗き込み、思い出すように

「アパートに行くと清掃業者さんが待っていてね」

「大家さんと鍵を開けて入ると」

「居間にわずかな本が乗っている本棚があって」

「その側にね」

「ビニール袋に丁寧に入れた絵がね」

「壁に大事に画鋲止めしてあってさ」

「A4サイズ位だったかなー」

「子供が描いたような絵があったの」

「鯉のぼりの絵だった」

「おや、と思ったけど」

「清掃業者さんがさっさと片付けてしまって」

「私、持ってこなかったの」

「今になるとね」

「きっとあんたの絵だと思うのだけど」

「まさかあんたと出会うなんて思ってもみなかったから」

「本当に悪いこと、してしまったねー」

と言い。黙って聞いていた俺の顔を見て謝った。少しの沈黙の後
「そんな事ないですよ」

「世の中、明日のことだってわからないんだから」

「俺、助六にたどり着いただけでバンザイだと思ってます」

と俺が言うとママが

「バンザイねー」

「徹さんは何も言わなかったけど」

「どこかで博ちゃんの親であろうとしていたはずよ」

「私にはわかる！」

「何事も控えめな徹さんだったけど・・」

と言い。ママはそれ以上何も言わなかった。俺は以前なら気にも留めなかった親父の事が又ゆっくりと頭をもたげ、これまでの過程が逆回転し、ここまでたどり着いた奇跡を思い出して、なぜかとてもすっきりした気持ちになった。そして、親父は
「決して甘ったれた、我儘な人生ではなかったのだと」

俺は知った。ひっそりと息だけをして生きた人間のように思えた親父は、ママが言うように控えめだっただけではなく、きっと熱い心を持っていたのだ。日々のニュースを見ていると人々は誰もがその時代の中で、それぞれの繋がりの輪の中を懸命に生きているように、親父も懸命に戦い生きていたのだ。それに気付かされ、教えてくれたのはお品

書きの隣に飾られたあの絵だった。そして世の中がコロナ禍の時代になり、スマホを操り会議もネットで済ます繋がりの薄さの中で今、俺も家にいることが多くなり気が付いた。俺は日々一緒にいる母親のことを親父と同じように今まで何一つ知らない事に。子供は親を選べず、生まれた環境や時代によって人生が左右される。考えてみれば当然のことで、親に限らず俺たちは環境を選べない事が多いのだ。だから俺は与えられた環境の中で寄り添ってくれる、温かい人達と出会えたのは両親との縁のおかげだとつくづく思う。だから今度は母親のことをもっと知りたいと思っている。そして「助六」に母親を連れて行くことに決めている。長く付き合った彼女とはコロナが落ち着けば一緒にあの淡墨公園に行き、脇役と主役の桜に報告をする。

「公園の花が満開の時に」

「俺たちは結婚します」

と親父にも聞こえるように。そして森下光雄君の店に彼女を連れて行く。森下老人にも森下本家にも。縁という輪が広がってグルグル回り輝き始めた。考えてみればこの宇宙の輝きもいつかは死を迎えゼロとなるが、俺の頭の中の宇宙は今輝き出し、俺と共に生きゼロとなる。でもそれまでは永遠と思える宇宙のいっ時を輪になって繋がって輝かせて終わりたい。だからこそ儚い夢を見、一生懸命に生きる。日々の忙しさの中で親父のことも、いっ時は忘れることもあるだろうが、俺の中に根を下ろした縁が音もたてずにグルグル回って。何かの時にふと親父を思い出し、俺の親父であることに思いを馳せるだろう。そして俺も同じように何も残さずプラマイゼロとなり消えて行く。全ての人々と同じように、俺の親父探しはまだ終わらない。この先もゆらゆらとその都度顔を出し、心地よい風を吹かせて俺と共に時を過ごし、時と言う限られた中で親父の痕跡も去って行く。だからこそ、そこでしか見られないかけがえのない、繋がりの中でめぐり会う素敵な風景の一瞬一瞬に乾杯を贈り、俺の時も流れ去って戻って行く。それは親父によって気付かされた。

「何かがあるようで何もない」

この世の不思議は縁を生み、繋がって

「幸せに固執することも」

「幸せと見られるべく飾る事も」

あまり意味が無いように思え
「全てに始まりがあり、終わりがある・・」

「未来は想いの内にあり、過去も想いの内にある・・」

確かなのは、この一瞬にその全てがあり未来もあるのだ。

2023年五月完

紋白蝶

風

風を読む。
船を出すために
友をつくりたくて
風を読む。
荒野の中で真っ直ぐに立ち
ビルの谷間で倒れない様に
風を読む。
明日につながれと
過去に踊らされるなと
風を読む。

森林の奥深く
選び取った未来へ
風を読む。
遥か彼方を見つめて
群衆の渦と内で
風を読む。
小さな星と大きな星で
微風も強風も避け
風を読む。
仲間と友を留め
流されまいと
風が吹きます。

幻のグランド

少し陽射しが傾きかけたカフェの窓越しに海が見える。
「あぁー、いいけど」
うわの空で真一は席を立ったまま、振り返りもせずに答えた。うわの空で返答をする時の次に、何かを切り出す気配を予感させる間の抜けた空気が一瞬漂い収まって
「それじゃー」
と席を立つ真理の後ろ姿は見ずに、窓の先の遠くに見える小さな海を見ながら真一は
「どうして」
弱々しくひと言を付け加えたが、真理は返事をせずにカフェを出て行った。

煙草の煙が充満するお店の狭いカウンターを挟んで、今日も馴染み客がいつもと同じような話をしていると突然

「まだいいですか」

お店には似合わない爽やかな青年がドアを開けて覗き込んだ。お店のママが素早く真理に目くばせをし、真理が

「何人ですか?」

と聞くと青年はドア越しに振り返った後

「五人なんだけど」

と言いながら入ってきた中に真一がいた。青年たちには二軒目のお店で少々酔った勢いでヒップハレーとわからない呪文のような奇声を繰り返し、仲間同士で一喜一憂し。狭い店が束の間若返っていく。ママが愛想よく乾杯をしている傍らで、少し無口な真一が真理には何か違って映り、ママに代わって若者の席に着き真一にビールを進めると

「俺あまり飲めないんで」

と言って真一が煙草を吸おうとした時、横から
「だから走り切れなかったんだよ」
「俺はお前に託したんだぜ」
皆で肩を組み合って笑い合う。
「何だろー」
真理が戸惑っていると
「もう少し押せたのに」
「惜しかったなー」
などと言っている。彼らはお店の近くにある大学のラグビー部員だった。彼らの会話の意味などわからなかったが、真理には眩しく見えて心が弾んだ。女子高出身の真理にはラグビー競技など全くわからなかったけれど、ふざけ合って群れていた子供の頃の感覚と香りがして、同年代の若者達の輪は居心地が良かった。そんな真理が
「ラグビーって一チーム五人?」

と何気なく聞くと、彼らが一斉に真理を見た。真理があわてて
「一チーム十一人だっけ」
当てずっぽに真理がまた聞くと彼らはまた一斉に
「二十三人！」
「そしてあなたが二十四番目の選手」
酔った声を揃えて皆で返答してきた。真理が
「そんなに多いの？」
びっくりした顔で彼らに聞き返すと
「仲間は多い方がいいでしょ」
側らに座っていた真一が「ポツン」と答え、真理は思わず「うん」とうなずいてしまった。それからほどなくして、狭いお店に彼らはいつもフルメンバーでやってきて。彼らラグビー部員たちの試合後のミーティングはお店がお決まりのコースとなり。いつの間にか真理は二十四番を自称し、マネージャー気分でママや常連客とグランドに応援しに

行っては
「勝った、勝った」
と大はしゃぎして、負けた日は負けたでママのお店で悔しい酒を飲む、反省会が定番となった。そんなある日、真理のスマホに
「時間があったら会えますか」
と真一からメールが入っていた。次の週、今年も猛暑のせいか混んでいる都心の洒落たカフェで、練習後駆けつけた真一と夏季授業を終えた真理は二人で会った。真理はお店で見ている真一の顔が今日はいつもと違った顔をしていると感じ、まじまじ見ると、真一も初めて見る真理の短大生姿と、お店での顔と違った真理の昼の顔がとても新鮮に思え、同じようにまじまじと覗き込み二人で思わず吹きだした後
「話は何？」
ストレートな真理が真一に切り出した。真一は我に帰り少し間をおいて
「俺、今度の秋の大会が終わったら」

「退部しようと考えているんだ」
真一は真顔で答えた。そして
「この夏の合宿で自分の力が分かった様な気がしてさ」
お店で見る真一の顔が今度は表れて、ポケットから煙草を手に取り出し
「就活もあるしなー」
と付け加え煙草を見ている。真理は
「そうなんだー」
「じゃー練習ないならまた会おうね」
と続け自分の言葉にビックリしたが当然のように振る舞った。

そして夏が過ぎ、ラグビーシーズンの秋になり関東大会の一回戦、真一は九番のジャージを手にして震えている自分と、沸き立つ闘志で前日の夜は眠れずにいた。試合当日、小雨が降る午後二時のグランドに応援団だけの観客席、審判の手が上がりキックオフの

笛が稲妻のように響き、試合が始まった。試合開始三分、相手陣内で最初の相手方のスクラム。主将の忠がスクラムを組む前に、味方フォワードに檄を飛ばし真一に目を向け肩を叩いて

「いくぞ！」

と合図しスクラムが組まれた。審判が

「セット」

と両チームに合図をしてスクラムが押されたと同時に、相手方のスクラムハーフがスクラムから出た楕円球をスタンドオフに繋ぎ、相手方バックスのセンターに渡った時、味方スタンドオフの康夫が猛然とタックルして、ロックの啓介がすかさず楕円球を拾い上げナンバーエイトの忠にパスをした。忠の力強い突進はゲインラインを突破して、忠がパスした楕円球は味方センターからウイングまで一気に運ばれたが、ウイングの順一は相手陣内二十二メーターラインを越えた所でタックルされ、スタンドオフの康夫がフォローしゴールラインを目指し走ったが、相手方バックスに阻まれて味方のスクラムに

なった。勢いのあるバックスの突進で味方のフォワード陣は自信を漲らせ
「押すぞ！」
フロントローが叫び、低い姿勢でバインドしたスクラムが強く動き出した。
「来たぞ！来たぞ！」
このゾクゾクする「瞬間」に気合が入る。味方フォワードが押し込んだスクラムが崩れて、フランカーの浩が楕円球を抱え一歩前に出てタックルされた所を、ロックの啓介が激しく捲り上げ、楕円球が見えた瞬間ナンバーエイトの忠が一瞬早く楕円球を手にしてすかさず
「走れー」
と叫んだ。ほんの一瞬がスローモーション映画の様に映り、真一がパスされた楕円球を手にした時、相手方ナンバーエイトの肩が目の前にゆっくりと迫ってきた。彼の左腕を真一は左手で封じてタックルを外し、前に走り出たところを相手方フルバックに背後からタックルされた時には、真一の胸に抱え込んだ楕円球はゴールラインを超えていて、

前半八分のトライとなった。一回戦を無事に勝利して次の二回戦、練習試合では勝っている相手だったが、真一は控えの二十一番のジャージでグランドに入った。抜けるような青空が目に焼き付き、グリーンの芝がグランドに匂い立ち、北風が肌に勇気を植え付け、渾身で見守るゲームはスタンドオフの康夫が先制のトライをしたが、その後は相手方フォワードに押されてトライを許し同点に。そして前半戦終了間近、相手方フォワードが今度はモールから見事に出した楕円球を、ウイングから繋いで相手方フルバックがタッチラインぎりぎりにトライを決めたが、ゴールキックはならずにハーフタイムに入った。全員が円陣を組む中、コーチがフォワードに向かって

「集中して低く組んで当たれ、後半が勝負だぞ」

と気合を入れ、バックスには

「タックルを迷うな、倒さないと勝てないぞ！」

「キックを多用するな、回せ」

と指示があり、スタンドオフとスクラムハーフには

「受け身になるな、周囲のスペースを把握しろ」
コーチが檄を飛ばし龍二と真一の尻をたたいてグランドに送り出して後半戦に入った。後半戦六分、まだワントライ差で五点リードされている時、味方ラインアウトの楕円球を、相手方のロックが飛び上がって空中でもぎ取りバックスのウイングに繋いだ。相手方のウイングは、味方バックス陣背後のゴールポスト前にパントキックした。相手方のフルバックがいっきに走り込んできて、楕円球をキャッチした所をスクラムハーフの龍二がすかさず戻って、果敢なタックルで倒してラック状態になり、互いの密集戦に巻き込まれ楕円球が出せない。審判が走り寄り
「ノットリリースザボール」
と声に出して笛を吹く。楕円球を抱え込んで味方の戻りに耐えた龍二は凄かった。その後も龍二は相手方にマークされながらも的確なパスで攻撃の軸になったが、コーチが真一を呼び
「間合いをよく見てテンポに変化をつけろ」

と言って交代を告げ、真一の背中を押し龍二と代わった。試合は5点差のまま一進一退の後半戦終了六分前となり、相手方フォワードの反則でスタンドオフの康夫がタッチラインに蹴り出し、味方のラインアウトになる。フッカーの栄造がサイン通りタッチラインから楕円球を投げ入れて、ロックの啓介がキャッチしモール状態でフォワードが押して行く。ゴールラインまで四メートル。味方のバインドが崩れ真一が楕円球を掴むと、相手方のスタンドオフがキックを警戒し、モールから少し離れたのが見えた。とっさに体が反応しモール脇を走り抜けて、真一は味方のバックスに楕円球をパスしたが、スローフォワードとなり相手方のスクラムに変わってしまった。ゴールラインまで後わずかな所で、泣きたい思いの真一に主将の忠が詰め寄り、顔を向け

「ナイス、惜しかった！」

と言ってスクラムに入った。今度は相手方のスクラム、味方がワンプッシュされて出た楕円球は、相手方スクラムハーフからスタンドオフに渡り、タッチに蹴り出された。そして残り時間がワンプレイに近い味方のラインアウト。フッカーの栄造から投げ入れら

れた楕円球は、ロックの啓介がキャッチし素早く真一に渡り。真一は相手陣営を見てすかさずスタンドオフの康夫を越して、一挙に走り込んできた味方フルバックの太郎に直接パスをした。太郎はスリムな体格だが闘志はピカ一、抜群のステップで走り抜けて忠がフォローし、忠がタックルされながらもパスした楕円球を、味方ウイングの順一が受け取った時には前に阻む相手方の選手は誰一人いなくて、ゴールポスト真下へのトライとなった。ゴールキックも決まりノーサイドの笛が鳴って、見事に逆転勝利した。その後、真一は九番のジャージを龍二に託しラグビーシーズンが終わった。この年、関東理工系リーグで忠や順一、康夫、栄造、浩そして啓介や太郎達の活躍と九番龍二の的確なパスで、彼らフィフティーンは準優勝し今シーズンを飾った。その夜、ママの肝いりでお店は貸し切りの祝賀会。花の真理は大忙しで真一の側には来なかったが、帰り際フィフティーンの別れの順番がきた時に

「やったね！一回戦のトライ」

「グランドに駆けつけた時、見たよ」

真理が真一の手を握った。来てくれたんだと真一は嬉しくて、この一言で楕円球から離れることができた。そして以前から授業で興味があったネジ効率の研究に明け暮れて、四年生になってからはグランドに一度も向かわず、四年生のラグビーシーズンを終えた。

翌年春、真一は二年連続準優勝の栄光は味わえずに学生時代が終わり、連続準優勝校運動部と言う枠で皆は大手企業へと就職したが、中途半端な真一は小さな精密機械部品会社の設計部に就職して、楕円球仲間ともお店とも遠退いて行った。就職した京浜線沿いにある会社の設計部は優秀で、真一は少しずつ会社の雰囲気にも馴染んで、職場内での飲み会にも慣れてきたがどこか寂しくて、忘れていたはずの楕円球仲間の顔が時々よぎり、ママとお店がとても恋しかった。初めてのボーナス。意を決して真一は会社帰りに反対方向の電車に乗り、久々にお店に顔を出すと以前と変わらぬママが

「真一、戻ってきたねぇ」

当然のように真一にピースサインを出し

「真理は短大も、お店も卒業したよ」
と陽気な笑顔で知らされた。
「だけどね、皆と来ているよ」
ビールを注ぎながら
「真一が来ているよ」
と言ってスマホを渡されると、スマホから真理の懐かしい声で
「生きてたの！」
と冗談を言い突然
「明日会わない？」
見透かされた様に真理が畳み込んできて真一は少し大きな声で
「いいよ」
と答え、真一は久しぶりに来て本当に良かったと心から思った。気が付くとお店は忠や栄造、浩、啓介、龍二、康夫、順一、太郎達同期の声が溢れていて、いつものようにアッ

トホームな空間で、グランドで声をかけ合った楕円球仲間との再会が、真一に言葉にできない満足感と安心感と時を与えてくれた。

小さな会社は居心地が良かったが、定時には帰れない。もう四十分も遅れている、真一が繁華街の洒落たカフェに急ぎ入ると、一番奥にスーツ姿の真理が座って本を読んでいる。真一には気づかない、このまま見ていたいとゆっくりゆっくり眺めるように歩き、真一は真理の席に向かった。それから程なくして週末はいつも、二人で過ごす様になり一年目を過ぎた頃、真理が

「忠君からOB会の後」

「同期の皆でママの店に行くから」

「真一と来いよってメールがきたけど」

「行かない?」

日曜の午後に、二人がお気に入りの郊外にある、遠くに少し海の見えるカフェで聞いて

きた。
「まぁなー」
真一が曖昧に返事をすると
「会いたいくせに、行こうよ」
真理は真一の目を真っ直ぐに見た。真一は仕方なさそうにゆっくり
「了解」
とうなずいた。それは真理の直球と笑顔に負けてうなずいたが、本心だった。いつだって真理は真一の心の中にある思いを受け取ってくれてストレートに表現し伝えてくる。だがこの頃から少しずつ真一は真理との会話よりも、仕事の段取りが頭をおおう日々が増えて行った。夏も終わりラグビーシーズンが近づいてきた週末に、最初の時と同じように少しドアを開け覗き込むお店は、見慣れた内装といつものママの笑顔とラグビー仲間が集まっていた。真理は久しぶりにはしゃいで、皆と連帯する時間が楽しく前向きになれて昔に戻って行くのを感じた。真一は自分勝手に

「俺は落ちこぼれ」

と隅っこでグラスを一人傾けていると。龍二が真一のグラスに軽くグラスを当て席につ
いた。いつも一緒にパス練習をしていたハーフ団。腕のスイングが小さくスピードある
龍二のパスは的確にパスする相手の半歩前に向かって飛んで行き、最適のタイミングで
キャッチができる。真一は龍二に負けた気は更々なく、龍二も戦友という気がして二人
は会えたのが格別に嬉しかった。

「ラストシーズンは居なかったけど」

「三年間のパス仲間だろ！」

龍二が今度は席を立ち顔を覗きこんで言う

「だよな！」

真一は楕円球に素早く触れ龍二にパスをした。するとママが突然

「皆！」

と声をかけて、主将だった忠が立ち上がり腕を伸ばし親指を立て

「俺たち同期の仲間だからさ」
「スリーチアーズやるぞ」
と言って皆が整列し
「スリーチアーズフォー・真一、真理チーム」
とエールを捧げ皆が
「ヒップハレー、ヒップハレー、ヒップハレー」
と叫び、龍二が
「真一、結婚式にも俺たちはやるぞ!」
と杯を上げた。いつもこうだったと真一は照れながら苦笑いし、皆への感謝が胸を覆い涙が溢れた。真一はスタンドオフの康夫が出す、懐かしい八番九番の連携サインに笑って返し、昔の仲間に戻れた。ラグビーはやりがいのあるスポーツだったとあらためて真一には思え、魂をゆさぶり激しく闘った誇りがよみがえった。それからは月に一度は必ず「同期会ミーティング」と称してはママのお店に同期のラグビー仲間が集まり。杯を酌み交わし共有する時間。それはかけがえのない存在のように感じられ、お店では真一は会社の事を忘れ、真理との話しにも夢中になって心が躍った。真理は皆と連帯することで、日常が変わっていく予感がして、真一と真理の素敵な居場所がここにあった。しかもママの愛情あるお説教と熱いコーヒーがいつもセットで。二人に満たされた心地良さを与えてくれるこの場所は、皆がワンチームになれる愛しい空間なのだ。リーダーシップのある忠は酔うと決まって真理や皆に
「一番強気なヤツはスクラムハーフだぜ」
「だってよ!」
「俺たちみたいにデカいのと張り合うんだからなぁ龍二、真一」
と龍二や真一に腕をまわし互いにふざけあった。真一はどんな時にでも気を配る忠のキャプテンシーが好きだったし、真理は羨ましくてママと肩をくんでは
「私もトライしたいよー」
と叫んで友情の大きな輪に入れない自分を感じていた。そんな頃から程なく時が経った

春、真一に仕事先から転職の誘いが来て

「俺も大手企業に入れる」

と真一は考え迷わなかった。小さな会社のサラリーマンだった両親の苦労は誰よりもわかっている。郊外から時間をかけ都心に通い、無理をして真一と弟を進学させてくれた両親への恩返しの気持ちと。条件は今の会社とフィフティー・フィフティーだが、真一は何よりも大手企業と言う社会的信用が魅力だった。そして後はしっかりしたビジョンを持って未来の実現にまい進しようと考えた。家族のように温かかった社長、優しく厳しかった設計部の上司、全ての事を教わり、今の自分が成り立つことができた会社の人達の顔が浮かんだが、真一は思いを振り払うように話を進め、結婚した真理や両親たちにもきっと喜ばれると自分勝手に思いこみ、希望を抱いて転職をした。真一は日々ハッピーだったが、大手企業の厳しさはずっしりとのしかかり、段々と同期会ミーティングからも遠のいて行った。中途採用の遅れを取り戻すため、生真面目な真一は残業もいとわず、目の前の仕事を日々こなし、評価に左右されて落胆した日は家に帰っても言葉少なくなり、真理のことは見えないでいた。一年後、設計部から営業にまわされて人間関係の複雑さが増し、ますます時間に追われて会社でも家でも、心の中にある思いを伝えられなくて。真一は自分を見失っていき楕円球仲間のことも忘れそうになり

「ボールは繋がなきゃダメでしょ」

と真理に言われても真一にはわからなかった。ただ明日の会議の事を考え週末も仕事をして、疲れて家に帰る。それが自分たちにハッピーを引き寄せてくれると考えて。気が付けば知らず知らずのうちに、家族よりも楕円球仲間よりも仕事仲間と過ごす時間が日常化していった。そんなクリスマスが近い夜。久々に忠から真一に

「真理と飲みに来いよ」

とメールがきて皆の顔が浮かび

「そうだなー」

と真一は真理を想った。クリスマスも過ぎた頃、煙草の煙の漂う中へドアを押して二人でお店に入ると、皆の顔が時計仕掛けの振り子のように一斉に、真一と真理に振り向き

忠が満面の笑顔で駆け寄り
「子供ができたんだ！」
「男の子」
と言ってビールを差し出し目が合った。
「ラグビー教えるよな！」
「もちろんさ！」
真理がすかさず
「同期会ミーティングジュニア一号だね！」
とピースサインし、龍二や浩たちが
「ジュニア」「ジュニア」
と囃し立て太郎や順一たちが踊り出す。照れている忠に副主将だった康夫が立って
「スリーチアーズ」
と声を上げ、皆が腕と親指を突き出し肩を組む。真一、栄造、啓介と元チームメンバー

の面々と真理、そこには仲間との幸せな時があり不思議なほど満たされて、真一と真理は仲間とお店との一体感に包まれた。やがて
幸せの舞台に幕が下り。いつものように温かいコーヒーが出て
「そろそろお開きだよー」
「将来は花のスタンドオフか」
「ナンバーエイトねー」
ママがウインクし、皆で気勢を上げて、しこたま飲んだお店からの帰り。真一に忠が
「真理もきっと欲しがってるぞー、子供」
と腕を回してきて忠と別れた。それからしばらくたって忠から真一に
「生まれた、元気な男の子」
とメールがきたのは、真一が地方の工場に単身赴任した矢先だった。真一は得意先の新製品会議に追われていて
「グー」

の絵文字をスタンプで返信し上司に休暇を告げる事もできないまま、結局真理が一人でお祝いに駆けつけた。その夜、皆はいつものようにお店で陽気にはしゃぎ夜も更け、それぞれが帰った後で、真理は数年ぶりにママと二人きりで小さく乾杯をした。ほんの少し前まで一緒だった仲間たちとお店の匂いが胸を突き抜けてきて思わず
「お店は変わらないのに私、変わっちゃったなー」
呟く真理に煙草の煙を追ってママが
「大人になっただけよ」
短く言って煙を払い
「女はね、大人になったら群れないんだよ」
と煙草をもみ消した。久しぶりに長い時間ママと二人で話をしたが。真理に思いだされるのは、その二言だけであとは何も思い出せなかった。
秋も深まりラグビーシーズンに入ったのに、今週は帰れないと真一からメールがあり

込んでいる。

「同期会ミーティングは？」
と返信したがそのままだった。真一は仕事ばかり優先しても、家族を愛していると思い込んでいる。

「違うんだよ！」
と言えないで少しずつ時が重なり、自分を抑えて毎日が苦しく過ぎてゆき、そしてまた一つ歳を取り、独りカレンダーを見た。

「人生の幸せってどう言う事だろう」

真理はいつも母が

「人はそれぞれに幸せを与えられている」

「人を羨ましいと思っちゃいけないよ」
と不満を言う子供の真理に背を向け、台所から包丁の音を小気味良く響かせて言っていたのを思い出した。そして本当にそうなのかなと真理は思った。私は何も高望みなどしていない。二人が同じ方向を見つめていると思っていたがでも何かが違う。

「真一の世界と私の世界は違うのかしら」

わからない。この頃、真理は仕事が早く終わって手持ち無沙汰な時は、底知れぬ孤独感がつのり、いつもママのお店に顔を出す。今日も真一が居ないだけで何も変わらない、皆が居る空間に吸い寄せられるように店に入ると。カウンターから手招きをして元スタンドオフの康夫が嬉しそうに
「今度も女の子だったけど」

と指でVサインして真理にグラスを渡し、いつものように
「真一、元気か」

と聞いてきた。

「うん」

と応えて。真理には環境が状況を変えるのか、家族が状況を変えるのかわからないが。真理は自分だけが置いてきぼりで、康夫の肩には成長して状況が変わっていくさまを感じた。そして、自分自身は人生のパズルが解けないままで留まって正直になれずにいる。

漂う煙草の煙がゆっくりと真理の視界を遮り
「状況を変えるのは環境や家族のあり方なのか？」
と包み込んできて真理に
「どちらでもないんだよ」
と答えてきた。真理は見極められないで
「どちらでもない何かを」
模索している自分がおかしくも思え現実に戻り、気を取り直して真理は康夫にビールをすすめた。
「女子に囲まれた気分は最高？」
と聞くと、康夫はビールを受け取り自分のグラスに注ぎながら
「子供っていいものだぞー」
「男の子だったらもっと話せたかなぁーと思うけど」
一気にビールを飲み

「でも話なんかしなくてもいいんだよな」

「何て言うかさぁ、上手く言えないけど」

「子供たちが居るゴジャゴジャが最高っていう感じかなー」

「何か、ぬくもりって言うのかなぁ」

康夫は幸せそうに続け
「とり合えずゴジャゴジャと忙しい世界だね」

と照れながら家族している顔が眩しく笑っている。真理が素直に
「いいなー」

と呟くと、康夫はビールグラスを見ながら
「子供の居ない夫婦は仲がいいじゃん」

「お互いを見ていられるもの」

少し酔った目を真理に向けた。

「そうかなぁー」

「子供が居るからお互いに向き合えるんじゃないの」

真理が素直に答えると康夫は
「そうかもなぁ、最初はねー」

「そんな気もしたけど」

「結局全てを受け入れる努力かなぁ」

と照れて
「でも簡単に変われないのも人生だけど」

「俺単純だから」

と言って一瞬昔の顔をした。ママが残ったお客を送り出し、皆もそれぞれに帰って行き、康夫と真理とが残りカウンターに並んでママと座った。二人にママが、グラスにビールを注ぎながらゆっくりとした口調で
「今度のクリスマスは皆でお店に来てよね」

と静かに笑顔を二人に向け

「そろそろお店閉めようかと思っているんだぁ」

ぽつりと言い、

「私も歳だしね！」

と付け加えた。少し間をおいて
「誰か継ぐ人はいないの？」

康夫が驚いたようママに言うと
「甥っ子は所帯を持ったサラリーマン」

「定年までは待てないし」

ママは頬杖をつきビールグラスのふちを指で撫ぜ
「コーヒー入れるね」

と席を立った。時が知らず知らずのうちに環境も皆も変えて行く、当たり前のように平等に、お店だってなんだって、ゆっくりゆっくりと変わって行く。変化を見ない一生なんて有りはしないのだが、真理には今大きな変化がいっせいに押し寄せてくる予感がし

た。康夫が
「そろそろ女子三人組が待っているから、俺帰る」
と帰って行き。真理はひとりカウンターをそっと指で触れ
「そろそろ待っているかー」
と呟き
「家族かー」
と独り言をいうと。コーヒーを差し出したママが
「家族ねー」
と相ずちをうちながら隣に座り
「家族の在り様ねー」
と繰り返してコーヒーを飲みながら
「昔から友達や仲間を家族って呼ぶ人や」
「ペットを家族と呼ぶ人もいるけどさ」

「私はねー、家族って！」

と呟いて。強い口調で

「帰れる所、居場所かなぁ」

ママは噛みしめるようにカウンターの隅に目を向けてから、ゆっくりと真理を見た。

「私はね、子供も亭主も居ないけど」

「そんな気がするよ」

今度はカウンターを愛おしく何度も撫ぜながら

「ここが家族かなぁ」

と二度呟いた。きっと物事を大事に思う気持ちは、周囲も含め自分自身の感情の内に宿っていく様に、大事な居場所も、自分自身の心の内から生まれてくると、真理には思えてきた。そして自分にとっての「家族とは何か」と言う問いに今真剣に向き合う必要があると考えた。これまで経験してきた集積が私たちの今をつくり、日々同じ波長の温もりや言葉を使う環境が、幸せと感じていたけれど、私も真一も実はまったく違う波長の中で夢を見ていたのかもしれない。真理がゆっくり天井を仰ぐと、お店が生き物の様に静かに仲間たちの残影を漂わせ息づいていた。帰り道、遠回りして真理は夜の街を歩き。家路を急ぐ人波の中を自分のことを考え考え、居場所を探し続けて真一にメールした。結局一番大切なことはお互いの心の内に育ってきて、喜びも悲しみも乗り越えて、また同じ波長の夢を持つことだ。そのためには「今」大事なことが抜けている。

「私たちはお互いに家族と言う」

「帰る場所を求めているはず」

自分も真一も急ぐことはない。人生に無意味な事など無くて、神様はきっと時を与えてくれる。

「一度見つめ合う時間が」

「今必要なだけ」

真理は両親の事を思い返した。地方都市で小さな食堂を営む両親も、若い時からお互いを支え合いながら夢を追い、時間をかけて家族と言う居場所を創ってきた。

「私たちも、支え合えるはず」

そして両親のように夢を持ち、両親が私に与えてくれた大切な時間を真一と一緒に分かち合えるように、もう一度お互いがよく見つめ合って、時間をかけて本当の居場所を創ろう。真理の脳裏に両親がよぎり、妹や弟と遊んだ故郷の風景が、モノクロームからカラーに変わって込み上げてきた。きっと必ず大雨の後に真っ赤な本物の花を咲かせよう。真理は故郷の千姫の菩提寺の彼岸花を想い出し、花言葉の

「思うはあなた一人」

を信じて、私たちの帰る場所は

「きっと一つ」

「きっと決まっている」

心の中で叫び、何度も何度こだまし考え続け、夜の街の灯りの下をひとり歩いた。

駅から遠くない坂道を上がると昔二人でよく通った、遠くにほんの少し海が見える郊外

のカフェがある。夏のにぎわいもそろそろ収まった頃には、いつもシーズン前のラグビーの話をしながら二人で歩いたこの坂道を、今日は無言で霜月の風を受け、お互いが違う会話を想像して黙って歩いている。真一はふと

「時間って不思議だなー」

と思って自分に問うた。時が経つにつれ愛情が深まると考えていたのに、何事も時が経つほど当たり前になり。いつの間にか遠のいていくなんて事は、誰も教えてくれなかったと。愛情も同じなのだろうか?真一は歩みを少し緩めて、ふと何かをやり遂げることで深まる醍醐味や、仕事での達成感や評価とは違う信頼に充ちた満足感が自分の中に育っているように思えて、それがすぐ側にある事に、真理と坂道をゆっくり歩調を合わせ歩いて真一は感じた。これが夫婦と言うものなのか。楕円球みたいにまだ掴めないでいる自分に、自問自答しながら真一はカフェに着いた。そしてカフェの佇まいの懐かしさも口にせず黙って考えコーヒーを口元に運んだ。しばし沈黙する真一と真理の二人の背景に少し窓からの陽射しが傾き始め、ブルー色の海が遠くに見えた。真一は静かに音

楽が流れるカフェの中で、真理が話し出した言葉を聞いていて、ふと楕円球は二度目のバウンドが思いもよらぬ弾み方をする、あのバウンドの体験が何故かよみがえった。予期せぬ楕円球をキャッチして素早くパスしたあの爽快な一瞬。だが現実には半歩前に飛んできた楕円球をキャッチして戸惑い。一気に風景が変わって行くのを感じて。真一はパスが繋げないいらだちに席を立ち、海が見える窓際に無言で歩み、心の動揺を隠して足元の床に目線を落とした。そして

「いつから、何故」

と誰かに、いや真理に問いたかった。真一はサインが読めなかった自分が居たことを置き去りにして。状況を見誤り先が読めずに自分だけの思いで、今まで楕円球をパスし続けてきてゲームが終わろうとしている。真一は一番大事なことをキャッチできずに今まで味方にパスをしていたのかと気付き、窓の先の小さな海に視線を変え

「俺は独りよがりのまま、逃げていたのかなー」

と改めて思った。

真理はコーヒーを口に運ぶのを止めてひと呼吸し、いつも真一といっぱい話しがしたかった自分を思い出した。そして

「メールでは伝わらないこともあるんだよ」

と言いたくても、口には出さずコーヒーカップをじっと見つめた。そして仕事を辞めて真一の赴任先について行こうと思わなかった事に、今も迷いは無いと思った。真理は矛盾している気もしたが、もう少し私的な自分も大事にしたかったことは確かだった。勤めている広告代理店での仕事に不満は無く、クライアント先や販売商品が変わるごとにチームを組む会社の体制も気に入っていた。次々と知識が増え、真理はトライをした様な喜びにも似た感じが重なり。いつの間にか自分の可能性をもっと探りたいと思う気持ちが勝って、一緒に居る大切さより自分の都合だけをぶつけて、お互いを支え合う事を忘れてしまって

「ここまで来てしまった」

万里を駆けない愛情の源を探すように、真理はコーヒーカップから、窓越しの遠くに見

える小さな海に目線を向け見続けた。そして意を決して、カフェの窓から目線を外し自分自身にも言うように

「弱虫だね！」

「今度会った時は強くなっててね！」

と明るい声で言って、窓越しの海に視線を向けている真一の背中を見つめた。真理は窓の先の、あの包み込むブルー色の海はきっと幾つもの山河を越え時間をかけ、帰れる場所に今やっと戻ってきた喜びでブルー色に変わり、満ちていると感じた。人はそれぞれに帰れる海を持っているはず。

「私にも真一にも」

真理は、だから自分の心の内なる海を

「今度は山河を越えて」

「帰れる深いブルー色の海にしよう」

と心の中で呟き言葉を飲み込んだ。きっと安定も安心も幻想にすぎなくて、家族の在り

様はそれぞれの事情で帰る場所や形がある事に、真理は今まで気づきもせずにいて
「私は独りよがりのまま、逃げていたのかなー」
と改めて思った。

真一はこの世には、きっと確かなものなどは何一つ無いが、つまずきながらも、人の愛情を深く知れば知るほど、別の一面に触れて成長していき、その多くの面を包み込み抱える大事さが自分には無かったと悟った。大切なものはみんな自分で見つけることなのだ。そしてどんな時も揺るがない絆と、成長して行く充足感はラグビー仲間から。包み込む愛情は真理や家族から
「大事な何かは」
全て皆からパスされていたことに気が付いた。それなのに今、パスされた楕円球が繋げずに砂時計の止まる時を感じて、真一は心の中で躊躇してしまっていた。真理が目をそむけずにしっかりした口調で再度

「一度距離を置きたいの」

と言った後、じっとこちらを見て

「言葉を待っている」

とわかっていても真一は感情を言葉にできず。勇気のない真一に楕円球が重くのしかかり身体全体をおおってきて、振り返れず反射的に

「あぁー、いいけど」

と小さい声で言ってしまった。混沌と静寂が交差し、真一はゆっくりと自分が溶けていくのを感じ、楕円球をパスする相手も溶けてゆきパスができない。戸惑いながら

「どうして」

と自分に真理に小さく呟いたが。真理は言葉を聞いていないかの様に席を立ち

「それじゃー」

とカフェを出て行って、受け取った投げられないままの楕円球が、真一の足元にストーンと音もなく床に落ち不安定に弾んだ。

真一は外に出て静かに確かめる様にひと呼吸し、見上げると空が高くラグビーシーズンが近い季節となっていた。そして久しぶりに来たカフェを後に、窓越しに見えたあの海辺に行きたいと思って、駅には向かわず道路を渡り一人バスに乗った。バスが小さな町並を外れて左に折れるとグランドが目に映り、若者たちが楕円球を追っていた。

「あ!」

と声を出してグランドに顔を向けるとバスがトンネルに入り、振り返るとトンネルの入り口が小さく遠のいて行き。はるか彼方で柔らかく、いつまでもいつまでも光り輝いていた。

2022年十二月完

プレーヤー：

フォワード = 1～8番	**バックス** = 9～15番
1番．プロップ（左）	9番．スクラムハーフ
2番．フッカー	10番．スタンドオフ
3番．プロップ（右）	11番．ウイング（左）
4番．ロック（左）	12番．センター（左）
5番．ロック（右）	13番．センター（右）
6番．フランカー（左）	14番．ウイング（右）
7番．フランカー（右）	15番．フルバック
8番．ナンバーエイト	交代プレーヤー：16~23番

その他：

スリーチアーズ = 日本の学生ラグビーでされるエール交換

バインド = 味方同士しっかりと腕を回して互いを掴み合うこと

ゲインライン = プレーが再開した場所からゴールラインに平行に引いた仮想のラインのことで、ボールが前に進んだかの基準となる

ラグビー豆知識

試合時間：前半 40 分、後半 40 分の計 80 分、ハーフタイム 15 分以内

得点：トライ 5点　ゴールキック2点

　　ペナルティゴール 3点　ドロップゴール 3点

主なルール：

キックオフ ＝ 試合開始及び得点後にハーフウェイラインの中央からキックすること

パントキック ＝ ボールを宙に浮かせて地面に落ちる前に蹴るキック

モール ＝ ボールを持ったプレーヤーが相手に捕まっても倒されずに3人以上でプレーすること

スクラム ＝ 反則の後、試合を再開させるためにフォワードが組み合うセットプレー

ラック ＝ タックルされて地面に置いたボール上でプレーヤーが組み合うこと

ラインアウト ＝ ボールがフィールドの外に出てしまったときに試合を再開させるプレーのこと

スローフォワード ＝ 前にボールを投げるか、または前にパスする反則

ノットリリースザボール ＝ ボールを持ったプレーヤーが倒れてもボールを離さず持ち続けることの反則

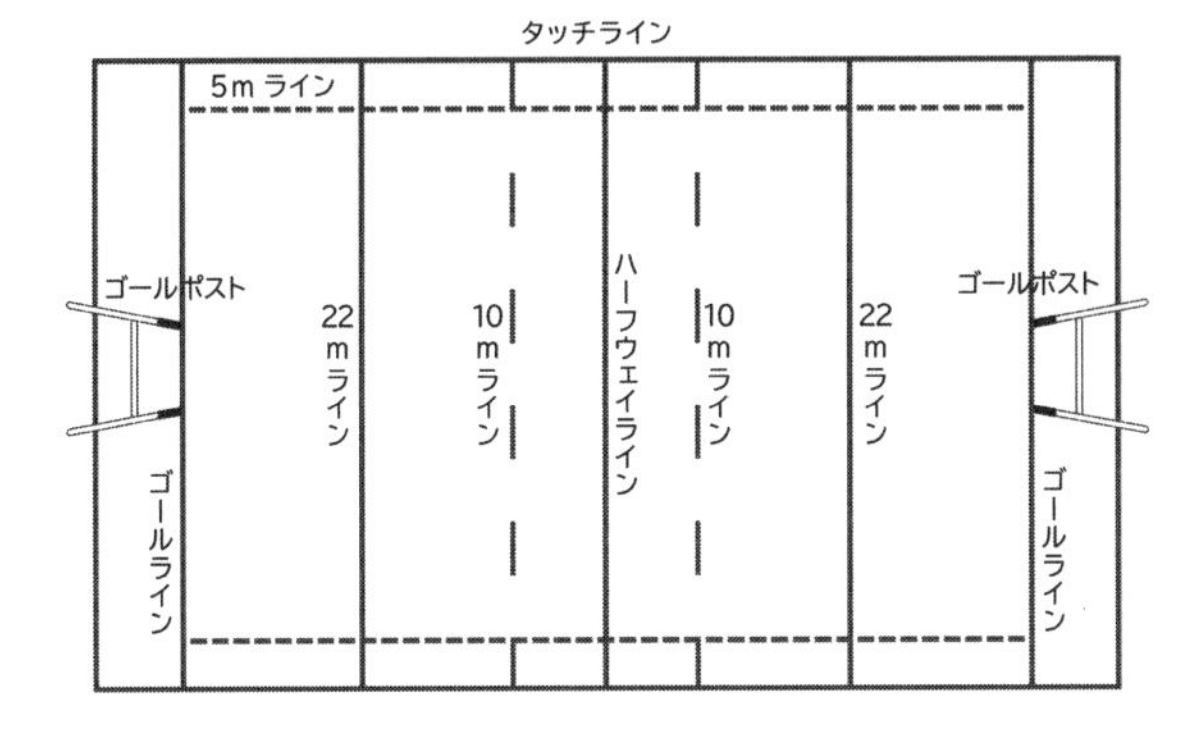

あとがき

人類は文章を書き読むことで知識を深め、伝え、繁栄してきました。今ではＡＩソフトで小説が書ける時代となりましたが、私は創造がまだ人間の領域だと信じ、自分なりに感じてきたことを一ページ読み切りのエッセイ『ＴＯＫＹＯ ＳＴＯＲＹ凸凹』にしたのが、ラグビーワールドカップ東京大会の年でした。あれからコロナやウクライナへの軍事侵攻と世の中は暗い方向に進みゆく中で、再びラグビーワールドカップの年となり、フランス大会が開催されます。学生時代に少しラグビーを経験した私はラグビーの感動と勇猛果敢な選手たちを思い出して、人々の立ち向かっていく人生が、また振り返る人生でもあると思いました。そして『幻のグランド』と『紋白蝶』を書き直し、『遠まわり』を加え、頁の踊り場にと詩を入れ、皆さまのおかげで本の形にすることができました。平凡な人の葛藤、営みの素晴らしさ、人生の不思議が読んで頂いた方に伝われば幸いです。最後にこの度、編集、校正の労をして頂いた敬子さんに感謝いたします。

令和五年八月十日

藤村拓也
京都市上京区出身
日新建築設計事務所、濫海デザイン研究所のディレクターから彫刻家向井良吉氏の計らいで岡本太郎アトリエ4Fで起業。岡本敏子の環境デザイン活動にも参加。竹中技術研究所、日産自動車のゲストデザイナーを経て、トータルデザインを推進。現在は、街並み計画や企業のデザイン戦略を提案。景観デザインの講演なども行っている。
著書に『TOKYO STORY凸凹』がある。

日本タイポグラフィ協会会員
環境福祉学会会員

「ゆらら」
著者 / 藤村 拓也

発行：令和5年10月17日
発行元：UP BOOKS
印刷・製本：シナノ書籍印刷株式会社

乱丁・落丁本はお取替えいたします。
価格はカバーに表示してあります。

ISBN :978-4-910418-02-5 C0093

UP BOOKS

https://up-books.com/